# muerte sin fin 💀 death without end

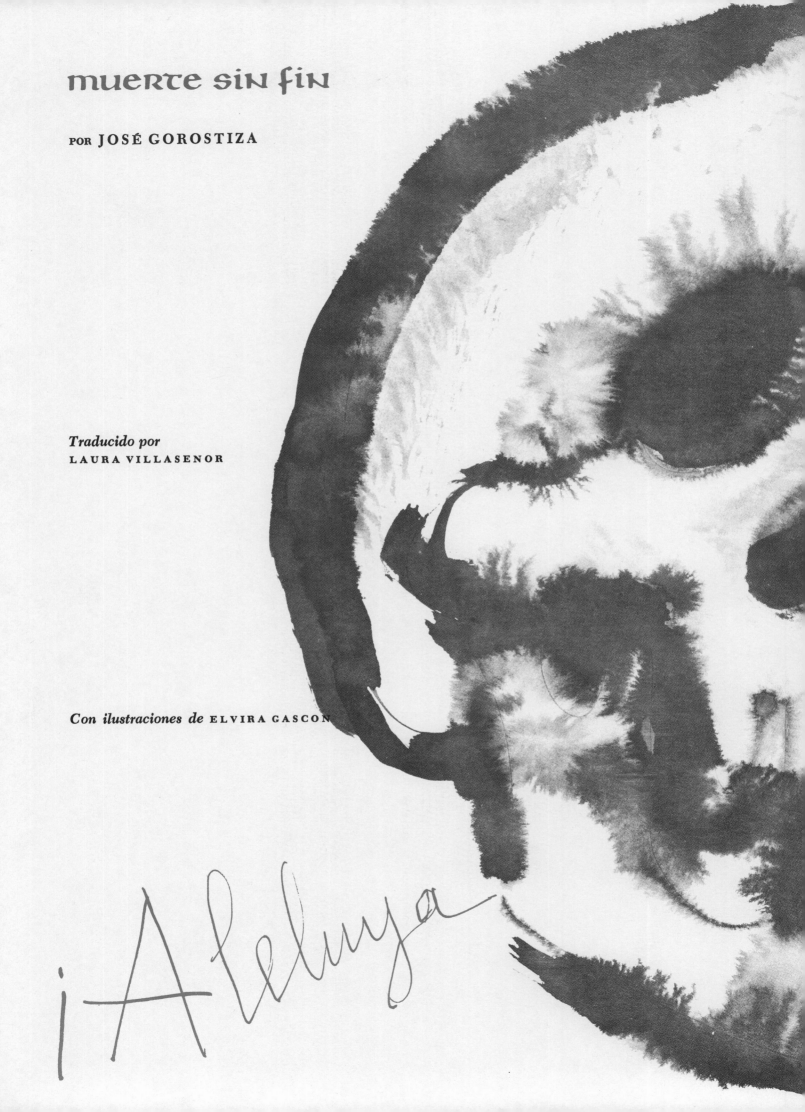

# muerte sin fin

POR **JOSÉ GOROSTIZA**

*Traducido por*
**LAURA VILLASENOR**

*Con ilustraciones de* ELVIRA GASCON

¡Aleluya

# death without end

### BY JOSÉ GOROSTIZA

*Translated by* LAURA VILLASENOR

*With illustrations by* ELVIRA GASCON

**THE UNIVERSITY OF TEXAS**

# muerte sin fin  CONTENTS

*To the memory of my grandmother*
AGATHA JANE TUCKER WELLS
*whose heart has a window to the south,*
*I dedicate this translation.*     L.V.

*Library of Congress Catalogue card number : 69–63022*

*Original Spanish Copyright* © *1969 by José Gorostiza.*
*English version* © *1969 by Laura Villaseñor.*
*All rights reserved*

*Published by*
THE HUMANITIES RESEARCH CENTER,
THE UNIVERSITY OF TEXAS AT AUSTIN
*Distributed by*
UNIVERSITY OF TEXAS PRESS, *Austin, Texas* 78712

*Printed and bound in the United States of America*

4

**The** *Contemporáneos* : Two American scholars have written extensive studies of the Mexican school of writers known as the *Contemporáneos*: Frank Dauster of Rutgers University ( *Ensayos sobre Poesía Mexicana; Asedio a Los Contemporáneos,* 1963) and Merlin H. Forster of the University of Illinois ( *Los Contemporáneos, 1920–1932; Perfil de un Experimento Vanguardista Mexicano,* 1964).

Both studies seem definitive in making known this literary group as a whole and each of its members: Jaime Torres Bodet, José Gorostiza, Bernardo Ortiz de Montellano, Enrique González Rojo, Salvador Novo, Xavier Villaurrutia, Gilberto Owen, and Jorge Cuesta. But if we review the panorama of the "Twenties," when the impact of this group began to be felt, we can still add something to define the place of these writers in Mexican letters and to explain their revolutionary literary mission.

Those were the years in which the Mexican Revolution ended as an armed struggle. After achieving the new political constitution of 1917, the Government launched a reorganization of public education and, indirectly, of arts and national culture in general. Events such as Diego Rivera's return to Mexico to inaugurate an epoch of mural painting that flowered from that time and the advent of Carlos Chávez, founder of the Orquesta Sinfónica de México, are inseparable from the stream of artistic renovation to which, in the literary field, the young writers and poets aspired. Rivera, Orozco, and Siqueiros broke with the realistic tradition of easel painting and introduced European currents into the new Mexican art to arrive at a fecund crossbreeding with pre-Hispanic tradition—a "mestizaje" culminating today in the painting of Rufino Tamayo. Chávez strove to regenerate Mexican musical culture, linking it also to pre-Hispanic elements. Similarly, the *Contemporáneos* branched out from a poetic stance whose exponents, valid for their time but already outworn for ours, were Salvador Díaz Mirón, Manuel J. Othón, Amado Nervo, and Enrique González Martínez.

The new focus that these young contemporaries gave to their own poetry and to their poetic heritage met its test in the *Antología de la Poesía Mexicana Moderna,* edited in 1928 by Jorge Cuesta. The exclusion of Manuel Gutiérrez Nájera was indicative of the rupture with the preceding school of poetry, *Modernismo,* which the *Contemporáneos* posed. Of the "Establishment," the only one commanding respect from the younger poets and influencing almost all of them was González Martínez. In the meanwhile, a new and great voice, apart from the *Contemporáneos,* had arisen in the provinces: Ramón López Velarde, whose early death robbed Mexican letters of a rich promise and provoked from lesser poets a deluge of lamentable imitations of his "Suave Patria."

In short, one can say that the *Contemporáneos* rejected a moribund *Modernismo* in favor of individual fulfillment for the poets who by chronological coincidence, ties of friendship, and spiritual and cultural affinity belonged to their circle. But so individual was the voice of each one that Villaurrutia could accurately call it a "Group of Solitudes." In this respect it paralleled the marked individuality of Rivera and Chávez in their respective fields.

**José Gorostiza** : Among the *Contemporáneos,* the poet whose work is most taut, distilled, and personal is José Gorostiza. While others, such as Torres Bodet and Novo, are represented by impressive bibliographies, the poetical works of Gorostiza comprise two slim volumes: *Canciones para Cantar en las Barcas* (1925) and *Muerte sin Fin* (1939), the long, consummate poem impeccably translated here into English by Laura Villaseñor. In the collection of his poetry published by the Fondo de Cultura Económica in 1964 appear, besides, some sonnets and other poems (among them, "Preludio").

As Dauster remarks: "Such [scant production] we suspect must be due to Gorostiza's complicated creative process. *Muerte sin Fin* is of such density and complexity that it must have required extraordinary concentration and a long period of gestation. Its difficulty lies not in obscurity but in the fact that the poem moves on multiple levels. It could be Gorostiza's final work; in any case it represents the culmination of a tendency in his poetry which grew in importance until at last it established itself as the tonic. It is doubtful that he could surpass it. Whatever new work he may publish we believe would blaze new trails."[*]

Within that archipelago of self-confessed loners, the *Contemporáneos,* the island represented by Gorostiza is the most detached and eminent. Instead of scattering his thought, inspiration, and command of poetic beauty, Gorostiza preferred to concentrate them in one constant, patient, prolonged, and synthesizing process of art and alchemy, producing a single poem as peerless in its way as such universal masterpieces as *The Divine Comedy* or the *Soledades* of Góngora. *Muerte sin Fin* suffices to immortalize Gorostiza in the history of literature in Spanish. No doubt the future will see his connection with the *Contemporáneos* more and more as a mere chronological accident; for this poet has contributed in a unique way to the renaissance of Mexican letters which his companions undertook in a less concentrated, pure, and lasting manner.

[*] Frank Dauster, *Ensayos sobre Poesía Mexicana; Asedio a Los Contemporáneos.* México: Ediciones de Andrea, 1963, p. 30.

# muerte sin fin  acknowledgments

**Influence of the *Contemporáneos* :** Though berated in their time, the *Contemporáneos* have exerted a wholesome influence upon later generations in Mexico. Thanks to Villaurrutia and Cuesta, criticism has become more exacting and vigorous in revising outmoded literary canons. The prose of Jaime Torres Bodet is a model of masterful refinement in its use of adjectives and elegant syntactic cadences revealing a solid French culture filtered through our tongue. Gorostiza's influence on Octavio Paz is perceptible to such a degree that Paz could well be described as the successor of the author of *Muerte sin Fin*. The introspection and analysis devoted to what is "Mexican" engrossing much of Paz's prose was a concern of the *Contemporáneos* in their time. Finally, the incisive judgment and sensitivity to what is current in the world that characterized Jorge Cuesta seems revived in the scrupulous critic Carlos Monsiváis, when Monsiváis compiles an *Antología de Poesía Mexicana del Siglo XX* similar in standards and impact to the anthology published in 1928.

Today there is a numerous, flourishing generation of new writers and poets to whom the group of forty years ago served as inspiration, example, stimulus, and point of departure. Among young Mexican writers of the present the *Contemporáneos* inspire, not the hostility they encountered in their day, but respect and admiration.

SALVADOR NOVO

I am grateful first of all to José Gorostiza himself, who granted me invaluable hours of his time, submitting to that grimmest of all questions: "What did you mean?" Although I do not claim for this English rendering the title of "an authorized version," I believe that frequent interviews with the poet at all stages of the work merit for it the category of a translation made with the close collaboration of the author and faithful to his intention and thought.

Next, my gratitude goes to my friend Thomas Mabry Cranfill, without whose creative criticism and understanding help this translation could not have come about. Other friends who have added their encouragement and a generous hand to the work are Hans Kohn, Salvador Novo, Jaime Torres Bodet, Octavio Paz, Antonio Carrillo Flores, José Luís Martínez, Raúl Ortiz Ortiz, Jaime García Terrés, Hans Beacham, George D. Schade, and, in a very special manner, the late José de María González de Mendoza, "El Abate," whose love for the poem and welcoming wonder at seeing it emerge in another language were decisive at a most precarious phase of its translation.

This list of godfathers would not be complete without the name of my husband, Eduardo Villaseñor, who first pointed out to me the eminence of this great poet and his masterpiece and who aided at every step of the translation.

L.V.

# the versification

Except for the central lyric section and the "coda," *Muerte sin Fin* is written mainly in unrhymed, hendecasyllabic verses; though interspersed throughout are shorter verses and, very occasionally, a longer one. The Spanish hendecasyllable is the language's most broadly useful line, comparable in importance to iambic pentameter for English.

It might have appeared tidily appropriate to employ iambic pentameter in the English version; but a spare, faithful rendering in English seemed to fall more naturally into the verse of four stresses that I have used for the main body of the translation.

The section of thirty-nine lines beginning "In the rigor of the clarifying glass" (*ll.*341–379) seems to call for a contrasting, broader rhythm, however. Consequently, I use there a verse of five stresses, along with occasional shorter ones, requiring at times the redistribution of a line's scope.

L.V.

With *Muerte sin Fin* José Gorostiza has bemused and inspired more than a generation of poets and thinkers. Despite the wealth of critical studies it has evoked, no year goes by without bringing new minds to the study of its intriguing intellectual complexities and glowing beauty.

The Spanish title echoes the idea implicit in the "tornillo sin fin"—in English, "worm gear," the endless screw, ever-beginning, never-ending. It seems to me fitting, however, to translate the title as "death without end," with its obvious overtones of Christianity's "world without end," to emphasize the positive aspect of this equivocal endless living and dying that Gorostiza celebrates.

Much has been said of the abstruseness of this cardinal poet's major work; but as Octavio Paz has said, it is precisely in the clarity in which its finespun thought appears that its "difficulty" lies.[1] Alfonso Reyes describes Gorostiza as dispensing with any superfluous word or phrase: "He grasps the essence. Hence his work is as scant as it is great." Reyes saw him as a "diver surfacing after awesome, untold travails, with the pearl in the palm of his hand."[2] Jaime Torres Bodet likens the unfolding of Gorostiza's poetical ideas to those toys in the form of a hollow figure inside of which we find another smaller, identical figure—that contains yet another, even smaller one—and so on—"until, finally, we can hardly believe that the last we uncover is really the final one."[3]

Its intellectual subtleties have led some critics, in an excess of zeal, to read unnecessary complications into the poem. First and foremost, it is poetry, with all the term implies of music, flavor, and aroma inseverable from its quintessence.

Though the poet has divided his work into nineteen sections, all skilfully announced, recapitulated, and organically interwoven, the main divisions are four:

I: The long first section (*ll.*1–294) concerns the poet's (man's) discovery of consciousness and his search for the meaning of his existence and that of all creation. Using the metaphor of the water and the glass, he broods over a definition of being and of the nature of God. Sometimes water represents matter ("merely an unwithering tumble"), sometimes amorphous emotions or possibilities ("a thirst of upright ice!") At times the glass represents form in the abstract; at other times this form is almost a synonym for God ("the strangling crystal net") or intelligence ("flaming solitude").

Throughout this first half of the poem one sees the special relevance of the second of the three quotations from Proverbs that preface the work: "Then I was by him, as one brought up with him: and I was daily his de-

light, rejoicing always before him." In Gorostiza it is:

> O intelligence, flaming solitude
> envisioning all without creating!
>
> . . .
>
> unique in Him, alone in Him,
> immaculate,
> unspeakable reticence

Gorostiza views intelligence as almost a part of God, to all intents and purposes perhaps indistinguishable from God.

He deals with God not as a religious concept, but as a symbol of the indivisibility of existence. In one passage ("exquisitely one with its sterile god") intelligence is linked with God. Later, God, the poet, and the rest of creation collectively—"Him, me, the three"—are "single as the glass of water."

To unravel Gorostiza's ideas long enough to catalog or define them is a complex task. They move in and out of the doors he opens, then tangle together in new combinations.

II. The second section of the poem (*ll.*295–340) is a lyric intermezzo reminiscent of the sixteenth century Spanish "arte menor," singing of the beauty and glory of creation contrasted to the poverty of the *materia prima* symbolized by water.

III. Next, (*ll.*341–698) comes a narration of the specific incorporation of matter longed for in form, its excruciating sentience, its abuse in formalistic emptiness, its elaboration through dream, its undoing in apocalyptic death.

IV. Finally, through a masterly coda (*ll.*699–749) winds the mocking "Knock, knock! Who's there? The Devil. . ." It is the devil of existence, a relentless spending of all we are. There is nothing more for us than to plunge blindly into life.

LAURA VILLASEÑOR

[1] Octavio Paz. *Las Peras del Olmo.* México: Universidad Nacional Autónoma de México, 1965. p. 111.

[2] Alfonso Reyes. [Speech welcoming José Gorostiza into the Academia Mexicana de la Lengua, March 22, 1955] *Memorias de la Academia Mexicana Correspondiente de la Española (Discursos Académicos)*, v. XV. México: Editorial Jus, 1956. p. 189.

[3] Jaime Torres Bodet. *Tiempo de Arena.* [Mexico] Fondo de Cultura Económica [1955] p. 81.

# muerte sin fin 💀 death without end

# muerte sin fin  death without end

Conmigo está el consejo y el ser; yo soy la inteligencia;
mía es la fortaleza.                    PROVERBIOS, 8, 14.

Con él estaba yo ordenándolo todo; y fuí su delicia todos
los días, teniendo solaz delante de él en todo tiempo.
                                        PROVERBIOS, 8, 30.

Mas el que peca contra mí defrauda su alma; todos los
que me aborrecen aman la muerte.       PROVERBIOS, 8, 36.

Counsel is mine, and sound wisdom: I am understanding;
I have strength.                        PROVERBS 8:14

Then I was by him, as one brought up with him: and I
was daily his delight, rejoicing always before him.
                                        PROVERBS 8:30

But he that sinneth against me wrongeth his own soul:
all they that hate me love death.       PROVERBS 8:36

# muerte sin fin ☻ death without end

# muerte sin fin    1    death without end

Lleno de mí, sitiado en mi epidermis
por un dios inasible que me ahoga,
mentido acaso
por su radiante atmósfera de luces
que oculta mi conciencia derramada,
mis alas rotas en esquirlas de aire,
mi torpe andar a tientas por el lodo;
lleno de mí—ahito—me descubro
en la imagen atónita del agua,
que tan sólo es un tumbo inmarcesible,
un desplome de ángeles caídos
a la delicia intacta de su peso,
que nada tiene
sino la cara en blanco
hundida a medias, ya, como una risa agónica,
en las tenues holandas de la nube
y en los funestos cánticos del mar
—más resabio de sal o albor de cúmulo
que sola prisa de acosada espuma.
No obstante—oh paradoja—constreñida
por el rigor del vaso que la aclara,
el agua toma forma.
En él se asienta, ahonda y edifica,
cumple una edad amarga de silencios
y un reposo gentil de muerte niña,
sonriente, que desflora
un más allá de pájaros
en desbandada.
En la red de cristal que la estrangula,
allí, como en el agua de un espejo,
se reconoce;
atada allí, gota con gota,
marchito el tropo de espuma en la garganta
¡qué desnudez de agua tan intensa,
qué agua tan agua,
está en su orbe tornasol soñando,
cantando ya una sed de hielo justo!
¡Mas qué vaso—también—más providente
éste que así se hinche
como una estrella en grano,
que así, en heroica promisión, se enciende
como un seno habitado por la dicha,
y rinde así, puntual,
una rotunda flor
de transparencia al agua,
un ojo projectil que cobra alturas
y una ventana a gritos luminosos
sobre esa libertad enardecida
que se agobia de cándidas prisiones!

1 Full of myself, besieged within my skin
by an unseizable god who smothers me
and perhaps is only feigned
by his radiant atmosphere of lights
hiding my spilt consciousness,
my wings broken in splinters of air,
my heavy step unsure in the mud,
full of me, surfeited, I discover
in water my astonished image.
Merely an unwithering tumble,
a chute of angels fallen by
a sheer delight in their weight,
it shows no more than a blank face
half-drowned already, like a dying smile,
in airy furbelows of cloud
and the ominous canticles of the sea
—smacking more of salt or thunderhead white
than the lonely haste of chased foam.
Nevertheless—oh, paradox—molded
by the rigor of the clarifying glass,
water takes form.
There it lies, deepens, and arises,
completes a bitter age of silences
and a graceful rest of youthful death,
smiling,
deflowering a farther-on of birds
into disbandment.
Within the strangling crystal net,
as in the lake of a mirror,
it beholds itself.
Tethered there drop by drop,
withered the trope of foam in the throat,
what vivid nakedness of water,
what water so water,
dreams in its iridescent orb,
singing already a thirst of upright ice!
Yet also what a provident glass,
swelling like a seedling star,
lighting up in heroic promise
like a breast inhabited by joy,
to render faithfully
a full flower
of clearness to the water,
a rocket reaching heights
and a window to shining cries
over that kindled liberty
47 oppressed in pale prisons!

¡Mas qué vaso—también—más providente!
Tal vez esta oquedad que nos estrecha
en islas de monólogos sin eco,
aunque se llama Dios,
no sea sino un vaso
que nos amolda el alma perdidiza,
pero que acaso el alma sólo advierte
en una transparencia acumulada
que tiñe la noción de Él, de azul.
El mismo Dios,
en sus presencias tímidas,
ha de gastar la tez azul
y una clara inocencia imponderable,
oculta al ojo, pero fresca al tacto,
como este mar fantasma en que respiran
—peces del aire altísimo—
los hombres.
¡Sí, es azul! ¡Tiene que ser azul!
Un coagulado azul de lontananza,
un circundante amor de la criatura,
en donde el ojo de agua de su cuerpo
que mana en lentas ondas de estatura
entre fiebres y llagas;
en donde el río hostil de su conciencia
¡agua fofa, mordiente, que se tira,
ay, incapaz de cohesión al suelo!
en donde el brusco andar de la criatura
amortigua su enojo,
se redondea
como una cifra generosa,
se pone en pie, veraz, como una estatua.
¿Qué puede ser—si no—si un vaso no?
Un minuto quizá que se enardece
hasta la incandescencia,
que alarga el arrebato de su brasa,
ay, tanto más hacia lo eterno mínimo
cuanto es más hondo el tiempo que lo colma.
Un cóncavo minuto del espíritu
que una noche impensada,
al azar
y en cualquier escenario irrelevante
—en el terco repaso de la acera,
en el bar, entre dos amargas copas
o en las cumbres peladas del insomnio—
occurre, nada más, madura, cae
sencillamente,
como la edad, el fruto y la catástrofe.
¿También—mejor que un lecho—para el agua
no es un vaso el minuto incandescente
de su maduración?

48 Yet also what a provident glass!
Perhaps this void that narrows us
into islands of echoless monologues,
although we call it God,
is really no more than a glass
molding the elusive soul,
apparent to us only in
a gathered transparency
dyeing the idea of Him blue.
The selfsame God
in His timid presences
must spend the blue complexion
and a clear, imponderable innocence
hidden to the eye but fresh to touch,
akin to this phantom sea where men,
fish of the highest air, breathe.
Yes, He is blue! He must be blue!
A clotted blue of distance,
an embracing tenderness for the creature,
where the spring of its body wells
languidly into stature
between fevers and blisters,
where the hostile river of its consciousness,
spongy, stinging water, spills,
alas, amorphous, to the ground,
where the creature's churlish footfall
deadens its anger—
where all rounds out like a generous number
and stands up true like a statue.
What can it be—if not—if not a glass?
Perhaps an incandescent moment
lengthening the fury of its ember,
so much closer to the eternal minim
the deeper the time that brims it.
A hollow moment of the spirit
that any unexpected night,
by chance,
and on any irrelevant stage
—in the dogged pacing of the pavement,
in the bar between two bitter drinks,
or on the bald summits of insomnia—
simply happens, ripens, befalls,
like age, fruit, or catastrophe.
And more than its bed, is not the glass
water's glowing moment of ripeness?

# muerte sin fin 1 death without end

Es el tiempo de Dios que aflora un día,
que cae, nada más, madura, ocurre,
para tornar mañana por sorpresa
en un estéril repetirse inédito,
como el de esas eléctricas palabras
—nunca aprehendidas,
siempre nuestras—
que eluden el amor de la memoria,
pero que a cada instante nos sonríen
desde sus claros huecos
en nuestras propias frases despobladas.
Es un vaso de tiempo que nos iza
en sus azules botareles de aire
y nos pone su máscara grandiosa,
ay, tan perfecta,
que no difiere un rasgo de nosotros.
Pero en las zonas ínfimas del ojo,
en su nimio saber,
no ocurre nada ,no, sólo esta luz,
esta febril diafanidad tirante,
hecha toda de pura exaltación,
que a través de su nítida substancia
nos permite mirar,
sin verlo a Él, a Dios,
lo que detrás de Él anda escondido:
el tintero, la silla, el calendario
—¡todo a voces azules el secreto
de su infantil mecánica!—
en el instante mismo que se empeñan
en el tortuoso afán del universo.

Pero en las zonas ínfimas del ojo
no ocurre nada, no, sólo esta luz
—ay, hermano Francisco,
esta alegría,
única, riente claridad del alma.
Un disfrutar en corro de presencias,
de todos los pronombres—antes turbios
por la gruesa efusión de su egoísmo—
de mí y de Él y de nosotros tres
¡siempre tres!
mientras nos recreamos hondamente
en este buen candor que todo ignora,
en esta aguda ingenuidad del ánimo
que se pone a soñar a pleno sol
y sueña los pretéritos de moho,
la antigua rosa ausente
y el prometido fruto de mañana,
como un espejo del revés, opaco,
que al consultar la hondura de la imagen

God's hour that arrives one day,
it befalls, ripens, happens,
to turn up tomorrow by surprise
in a sterile, unbroken repetition
97  resembling those electric words
—never understood,
always ours—
that outmaneuver memory's summons
but smile at us at every instant
from their empty spaces
in our own deserted phrases.
A glass of time that bolsters us
with its blue buttresses of air
and puts on us its grandiose mask,
alas, so perfect
it differs not a whit from us.
But in the tiny zone of the eye,
within its scanty knowledge,
nothing happens, only this light,
this fevered, taut transparency
wrought of utter exaltation
that lets us peer through its clear matter,
without ever seeing Him,
at what lies hidden behind God:
117  the inkwell, the chair, the calendar
—all in one blue clamor the secret
of His infantile mechanics—
at the very instant they engage
121  in the tangled ardor of the cosmos.

122  But in the tiny zone of the eye
nothing happens, only this light
—ah, Brother Francis,
this gladness,
peerless, smiling clearness of the soul!
A pleasure in the company
of all the pronouns, muddied before
by the thick outflowing of their selfishness
130  —of me, of Him, of us three—
always three!
while we keenly revel in
this good, unknowing candor,
this eager innocence of spirit
that sets itself to dream by day
136  and dreams the mildewed yesterdays,
the ancient absent rose,
138  and tomorrow's promised fruit,
opaque as the back of a mirror
which consults the depth of the image it holds,

le arrancara otro espejo por respuesta.
Mirad con qué pueril austeridad graciosa
distribuye los mundos en el caos,
los echa a andar acordes como autómatas;
al impulso didáctico del índice
oscuramente
¡*hop*!
los apostrofa
y saca de ellos cintas de sorpresas
que en un juego sinfónico articula,
mezclando en la insistencia de los ritmos
¡planta-semilla-planta!
¡planta-semilla-planta!
su tierna brisa, sus follajes tiernos,
su luna azul, descalza, entre la nieve,
sus mares plácidos de cobre
y mil y un encantadores gorgoritos.
Después, en un crescendo insostenible,
mirad cómo dispara cielo arriba,
desde el mar,
el tiro prodigioso de la carne
que aún a la alta nube menoscaba
con el vuelo del pájaro,
estalla en él como un cohete herido
y en sonoras estrellas precipita
su desbandada pólvora de plumas.

Mas en la médula de esta alegría,
no ocurre nada, no;
sólo un cándido sueño que recorre
las estaciones todas de su ruta
tan amorosamente
que no elude seguirla a sus infiernos,
ay, y con qué miradas de atropina,
tumefactas e inmóviles, escruta
el curso de la luz, su instante fúlgido,
en la piel de una gota de rocío;
concibe el ojo
y el intangible aceite
que nutre de esbeltez a la mirada;
gobierna el crecimiento de las uñas
y en la raíz de la palabra esconde
el frondoso discurso de ancha copa
y el poema de diáfanas espigas.
Pero aún más—porque en su cielo impío
nada es tan cruel como este puro goce—
somete sus imágenes al fuego
de especiosas torturas que imagina
—las infla de pasión,

only to draw from it at last
another mirror in reply.
See with what childlike, fetching gravity
He strews worlds throughout the chaos,
concerting them like automatons,
and with a didactic crook of the finger
cryptically
*hup!*
He invokes them,
pulling from them ribbons of surprises,
stringing them in a symphonic array,
mingling in the relentless rhythms
—plant-seed-plant!
plant-seed-plant!—
their soft breezes, their tender foliage,
their blue moons barefoot in the snow,
their quiet, copper seas,
and a thousand and one enchanting trills.
Look how later
in an unsustainable crescendo
He fires from the sea into the sky
the marvelous charge of flesh
that in the bird's flight
belittles even the lofty cloud,
bursts there like a wounded rocket,
and precipitates in sonorous stars
167   its scattering powder of feathers.

168   But even in the marrow of this joy
nothing happens, no,
only a guileless dream that roams
all the stations of its route
so lovingly
it does not even shun its hell.
And ah, with what belladonna looks,
swollen and still, it scrutinizes
the track of light, its brilliant instant
on the skin of a drop of dew;
conceives the eye
and the subtle oil
that feeds the gaze with slenderness;
governs the growth of the nails;
and in the root of the word conceals
the fronded speech of full foliage
and the poem of lucent spikes.
And more—for in its impious sky
nothing is crueller than this bliss—
it puts its images to the fire
of specious tortures it imagines:
swells them up with passion,

| | |
|---|---|
| en el prisma del llanto las deshace, | undoes them in the prism of tears, |
| las ciega con el lustre de un barniz, | blinds them with the shine of varnish, |
| las satura de odios purulentos, | drenches them in purulent hatreds, |
| rencores zánganos | sly grudges |
| como una mala costra, | like sick scabs, |
| angustias secas como la sed del yeso. | and anguish dry as the thirst of lime. |
| Pero aún más—porque, inmune a la mácula, | And more—for such perfect, undefilable |
| tan perfecta crueldad no cede a límites— | malice knows no limit— |
| perfora la substancia de su gozo | it impales the body of its joy |
| con rudos alfileres; | on coarse pins. |
| piensa el tumor, la úlcera y el chancro | It thinks the tumor, ulcer, chancre |
| que habrán de festonar la tez pulida, | soon to festoon the smooth complexion; |
| toma en su mano etérea a la criatura | and taking the creature in its ethereal hand, |
| y la enjuta, la hincha o la demacra, | like a flake of sweaty wax, |
| como a un copo de cera sudorosa, | withers, bloats, or shrivels it, |
| y en un ilustre hallazgo de ironía | and in a glorious trove of irony |
| la estrecha enternecido | closes it tenderly |
| con los brazos glaciales de la fiebre. | 207   in the icy arms of fever. |

| | |
|---|---|
| Mas nada ocurre, no, sólo este sueño | 208   Yet nothing happens, no, |
| desorbitado | only this extravagant dream |
| que se mira a sí mismo en plena marcha; | that sees itself in mid-march, |
| presume, pues, su término inminente | divines its imminent end, |
| y adereza en el acto | and then and there prepares |
| el plan de su fatiga, | the program for its weariness, |
| su justa vacación, | its merited vacation, |
| su domingo de gracia allá en el campo, | its Sunday off in the country |
| al fresco albor de las camisas flojas. | in the cool whiteness of loose shirts. |
| ¡Qué trebolar mullido, qué parasol de niebla, | What a clovered pillow, what a parasol |
| se regala en el ánimo | of mist it feasts on in the mind, |
| para gustar la miel de sus vigilias! | tasting the honey of its ease! |
| Pero el ritmo es su norma, el solo paso, | But rhythm is its norm, the lonely step, |
| la sola marcha en círculo, sin ojos; | the solitary, sightless round. |
| así, aun de su cansancio, extrae | So, even from its fatigue it pulls |
| ¡hop! | *hup!* |
| largas cintas de cintas de sorpresas | long ribbons of ribbons of surprises |
| que en un constante perecer enérgico, | that in a constant, zealous perishing, |
| en un morir absorto, | in a rapt dying, |
| arrasan sin cesar su bella fábrica | endlessly rend their lovely fabric, |
| hasta que—hijo de su misma muerte, | until—child of its own death, |
| gestado en la aridez de sus escombros— | conceived in the desert of its ruins— |
| siente que su fatiga se fatiga, | it feels its weariness weary, |
| se erige a descansar de su descanso | arises to rest from its rest; |
| y sueña que su sueño se repite, | and dreams that its dream begins again, |
| irresponsable, eterno, | unaccountable, eternal, |
| muerte sin fin de una obstinada muerte, | death without end of a stubborn death, |
| sueño de garza anochecido a plomo | a heron dream nightbefallen plumb, |
| que cambia sí de pie, mas no de sueño, | changing feet but not the dream, |
| que cambia sí la imagen, | changing the image |
| mas no la doncellez de su osadía | but not the virginity of its daring. |

¡oh inteligencia, soledad en llamas!
que lo consume todo hasta el silencio,
sí, como una semilla enamorada
que pudiera soñarse germinando,
probar en el rencor de la molécula
el salto de las ramas que aprisiona
y el gusto de su fruta prohibida,
ay, sin hollar, semilla casta,
sus proprios impasibles tegumentos.

O intelligence, flaming solitude!
consuming everything to silence,
like a seed in love
burgeoning in its dream
to test in the rancor of the molecule
the bound of all the boughs it imprisons
and the taste of their forbidden fruit,
never breaching, alas, chaste seed,
247    its own impassible sheath.

| | |
|---|---|
| ¡Oh inteligencia, soledad en llamas, | 248 O intelligence, flaming solitude, |
| que todo lo concibe sin crearlo! | envisioning all without creating! |
| Finge el calor del lodo, | imaging the heat of mud, |
| su emoción de substancia adolorida, | its feel of aching matter, |
| el iracundo amor que lo embellece | the angry love adorning it |
| y lo encumbra más allá de las alas | and exalting it higher than wings, |
| a donde sólo el ritmo | where only the rhythm of the stars cries, |
| de los luceros llora, | but breathing in it no breath to rise |
| mas no le infunde el soplo que lo pone en pie | and always creating itself anew, |
| y permanece recreándose en sí misma, | unique in Him, alone in Him, |
| única en Él, inmaculada, sola en Él, | immaculate, |
| reticencia indecible, | unspeakable reticence, |
| amoroso temor de la materia, | loving fear of matter, |
| angélico egoísmo que se escapa | angelic egoism breaking out |
| como un grito de júbilo sobre la muerte | like a shout of joy over death. |
| —¡oh inteligencia, páramo de espejos! | O intelligence, wasteland of mirrors! |
| helada emanación de rosas pétreas | frozen breath of stony roses |
| en la cumbre de un tiempo paralítico; | on the peak of a paralyzed time; |
| pulso sellado; | sealed pulse; |
| como una red de arterias temblorosas, | hermetic system of links |
| hermético sistema de eslabones | like a net of trembling arteries, |
| que apenas se apresura o se retarda | barely hurrying or lagging |
| según la intensidad de su deleite; | to the force of its delight; |
| abstinencia angustiosa | grievous abstinence |
| que presume el dolor y no lo crea, | foreseeing without framing pain |
| que escucha ya en la estepa de sus tímpanos | and in the steppes of its eardrums hearing |
| retumbar el gemido del lenguaje | already the groan of language sound |
| y no lo emite; | without voicing it, |
| que nada más absorbe las esencias | absorbing only essences, |
| y se mantiene así, rencor sañudo, | and so remaining, angry rancor, |
| una, exquisita, con su dios estéril, | exquisitely one with its sterile god, |
| sin alzar entre ambos | never raising between them |
| la sorda pesadumbre de la carne, | the deaf heaviness of flesh, |
| sin admitir en su unidad perfecta | closing its perfect unity |
| el escarnio brutal de esa discordia | to the brutal gibe of that discord |
| que nutren vida y muerte inconciliables, | nursed by warring life and death |
| siguiéndose una a otra | following each other |
| como el día y la noche, | like day and night |
| una y otra acampadas en la célula | encamped together in the cell |
| como en un tardo tiempo de crepúsculo, | as in a flagging, twilight tempo. |
| ay, una nada más, estéril, agria, | Solitary, sterile, bitter, |
| con Él, conmigo, con nosotros tres; | 289 with Him, with me, the three, |
| como el vaso y el agua, sólo una | single as the glass of water, |
| que reconcentra su silencio blanco | ingathering its empty silence |
| en la orilla letal de la palabra | at the lethal edge of the word |
| y en la inminencia misma de la sangre. | and the very threshold of the blood. |
| ¡ALELUYA, ALELUYA! | 294    ALLELUIA! ALLELUIA! |

Iza la flor su enseña,
agua, en el prado.
¡Oh, qué mercadería
de olor alado!

¡Oh, qué mercadería
de tenue olor!
¡cómo inflama los aires
con su rubor!

¡Qué anegado de gritos
está el jardín!
"¡Yo, el heliotropo, yo!"
"¿Yo? El jazmín."

Ay, pero el agua,
ay, si no huele a nada.

Tiene la noche un árbol
con frutos de ámbar;
tiene una tez la tierra,
ay, de esmeraldas.

El tesón de la sangre
anda de rojo;
anda de añil el sueño;
la dicha, de oro.

Tiene el amor feroces
galgos morados;
pero también sus mieses,
también sus pájaros.

Ay, pero el agua,
ay, si no luce a nada.

Sabe a luz, a luz fría,
sí, la manzana.
¡Qué amanecida fruta
tan de mañana!

¡Qué anochecido sabes,
tú, sinsabor!
¡cómo pica en la entraña
tu picaflor!

Sabe la muerte a tierra,
la angustia a hiel.
Este morir a gotas
me sabe a miel.

Ay, pero el agua,
ay, si no sabe a nada.

[BAILE]
Pobrecilla del agua,
ay, que no tiene nada,
ay, amor, que se ahoga,
ay, en un vaso de agua.

¡cómo pica en la entraña tu picaflor!

295　The flower hoists its colors,
water in the field.
Oh, what wares
Of wingèd perfume!

Oh, what wares
of soft aroma,
how they fire
the wind with blushes!

How flooded with cries
the garden is!
"I, the heliotrope!"
"I? The jasmine."

Yes, but water,
smelling of nothing.

The night has a tree
of amber fruit,
the earth a hue
of emerald.

The adamant blood
dresses in red,
the dream in blue,
joy in gold.

Love has terrible
purple hounds,
but also its harvests,
also its birds.

Yes, but water,
shining of nothing.

Of light the apple
tastes, cold light.
How early it rises
in the morning!

How benighted
you taste, so dreary.
How your hummingbird
picks at the heart!

Death tastes of earth,
anguish of gall.
Of honey I savor
this dying by drops.

Yes, but water,
tasting of nothing.

DANCE
Poor little water,
harbor of nothing,
ah, love, that drowns
340　in a glass of water.

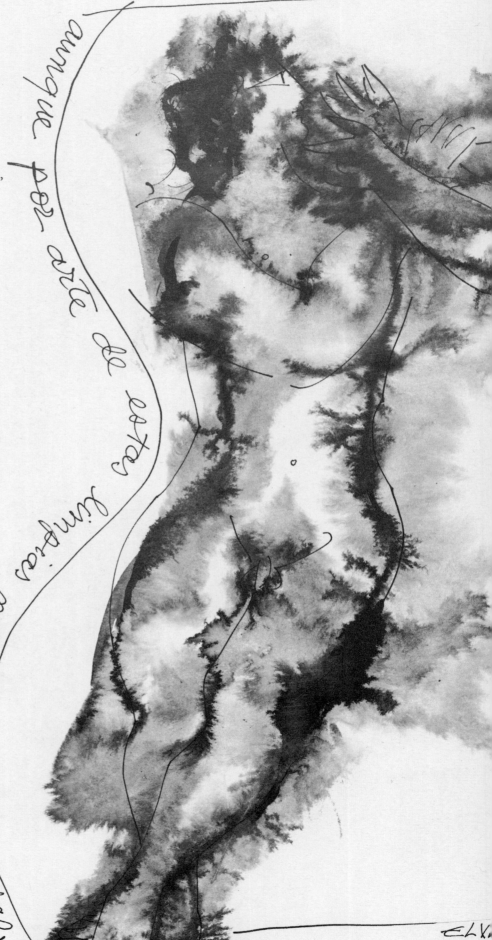

En el rigor del vaso que la aclara,
el agua toma forma
—ciertamente.
Trae una sed de siglos en los belfos,
una sed fría, en punta, que ara cauces
en el sueño moroso de la tierra,
que perfora sus miembros florecidos,
como una sangre cáustica,
incendiándolos, ay, abriendo en ellos
desapacibles úlceras de insomnio.
Más amor que sed; más que amor, idolatría,
dispersión de criatura estupefacta
ante el fulgor que blande
—germen del trueno olímpico—la forma
en sus netos contornos fascinados.
¡Idolatría, sí, idolatría!
Mas no le basta el ser un puro salmo,
un ardoroso incienso de sonido;
quiere, además, oírse.
Ni le basta tener sólo reflejos
—briznas de espuma
para el ala de luz que en ella anida;
quiere, además, un tálamo de sombra,
un ojo,
para mirar el ojo que la mira.
En el lago, en la charca, en el estanque,
en la entumida cuenca de la mano,
se consuma este rito de eslabones,
este enlace diabólico
que encadena el amor a su pecado.
En el nítido rostro sin facciones
el agua, poseída,
siente cuajar la máscara de espejos
que el dibujo del vaso le procura.
Ha encontrado, por fin,
en su correr sonámbulo,
una bella, puntual fisonomía.
Ya puede estar de pie frente a las cosas.
Ya es ,ella también, aunque por arte
de estas limpias metáforas cruzadas,
un encendido vaso de figuras.
El camino, la barda, los castaños,
para durar el tiempo de una muerte
gratuita y prematura, pero bella,
ingresan por su impulso
en el suplicio de la imagen propia
y en medio del jardín, bajo las nubes,
descarnada lección de poesía,
instalan un infierno alucinante.

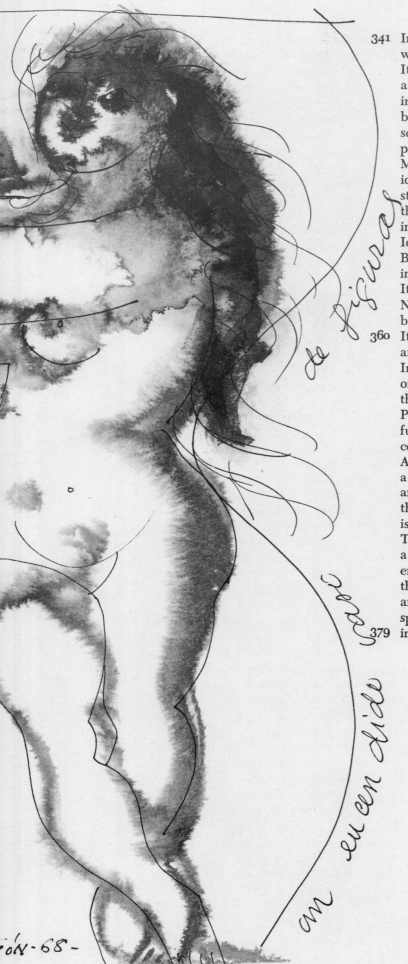

341 In the rigor of the clarifying glass
water takes form indeed.
It carries a thirst of centuries on the lips,
a cold, pointed thirst plowing trenches
in the sluggish dream of earth,
boring its flowering limbs like a caustic blood,
setting them on fire, opening in them
plaguesome ulcers of insomnia.
More love than thirst, and even more than love,
idolatry—a scattering of creature
stunned before the splendor brandished by
that seed of the Olympian thunder, form,
in all its tidy, spellbound contours.
Idolatry, yes, idolatry!
But being a simple psalm, being an ardent
incense of sound, does not suffice.
It also wants to hear itself.
Nor is it content to harbor mere reflections,
bits of foam for the wing of light it nests.
360 It wants a bridal bed of shadow too,
an eye to meet the eye that looks at it.
In the lake, the pool, the pond, the numbed hollow
of the hand this rite of links is consummated,
this devilish coupling chaining love to its sin.
Possessed, the water feels the mask of mirrors
furnished by the angles of the glass
congeal upon the clear, featureless face.
At last it has found in its somnambulant race
a handsome, faithful visage. Now it can stand
and face the world. Now it too, if only
through these trim, prismatic metaphors,
is a burning glass of shapes.
The road, the fence, the chestnut trees, to die
a needless, early death, but beautiful,
enter at its urging
the torment of their own images
and in the middle of the garden, beneath the clouds,
spare lesson of poetry,
379 install a dazzling hell.

Pero el vaso en sí mismo no se cumple.
Imagen de una deserción nefasta
¿qué esconde en su rigor inhabitado,
sino esta triste claridad a ciegas,
sino esta tentaleante lucidez?
Tenedlo ahí, sobre la mesa, inútil.
Epigrama de espuma que se espiga
ante un auditorio anestesiado,
incisivo clamor que la sordera
tenaz de los objetos amordaza,
flor mineral que se abre para adentro
hacia su propia luz,
espejo ególatra
que se absorbe a sí mismo contemplándose.
Hay algo en él, no obstante, acaso un alma,
el instinto augural de las arenas,
una llaga tal vez que debe al fuego,
en donde le atosiga su vacío.
Desde este erial aspira a ser colmado.
En el agua, en el vino, en el aceite,
articula el guión de su deseo;
se ablanda, se adelgaza;
ya su sobrio dibujo se le nubla,
ya, embozado en el giro de un reflejo,
en un llanto de luces se liquida.

Mas la forma en sí misma no se cumple.
Desde su insigne trono faraónico,
magnánima,
deífica,
constelada de epítetos esdrújulos,
rige con hosca mano de diamante.
Está orgullosa de su orondo imperio.
¿En las augustas pituitarias de ónice
no juega, acaso, el encendido aroma
con que arde a sus pies la poesía?
¡Ilusión, nada más, gentil narcótico
que puebla de fantasmas los sentidos!
Pues desde ahí donde el dolor emite
¡oh turbio sol de podre!
el esmerado brillo que lo embosca,
ay, desde ahí, presume la materia
que apenas cuaja su dibujo estricto
y ya es un jardín de huellas fósiles,
estruendoso fanal,
rojo timbre de alarma en los cruceros
que gobierna la ruta hacia otras formas.
La rosa edad que esmalta su epidermis
—senil recién nacida—
envejece por dentro a grandes siglos.

380    But the glass alone is unfulfilled.
Image of a fell abandonment,
what does it hide in its barren rigor
but this sad, unseeing clarity,
this groping lucidity?
Leave it there useless on the table.
Epigram of foam wasting
before an etherized audience,
piercing clamor muzzled by
the stubborn deafness of things,
mineral flower opening inward
toward its own light,
narcississtic mirror
draining itself in self-scrutiny.
But something is there, perhaps a soul,
the prophesying instinct of sands,
maybe a blister from the fire,
poisoning it with emptiness.
And this desert longs to be brimmed.
In water, in wine, in oil
it strings the hyphen of its desire.
It softens, it tapers.
Suddenly its sober image dims
and, hooded in a glimmer,
404    it liquefies in tears of light.

405    And form alone is unfulfilled.
From its grand Pharaonic throne,
magnanimous,
godlike,
starred with dactylic epithets,
it rules with an arrogant, diamond hand.
It takes a pride in its pompous empire.
412    In the august pituitaries of onyx
does not the ardent aroma play
of poetry burning at its feet?
Only illusion, gentle narcotic
peopling the senses with phantoms!
For, from there where pain exhales
—oh murky, festering sun—
its shining, waylaying luster,
from there it posits substance
its austere pattern barely shapes,
and already is a garden of fossil traces,
ringing lantern,
red light of alarm at the crossroads
ruling the ways toward other forms.
The rosy age enameling its skin
—senile newborn—
grows inwardly old by centuries.

Trajo puesta la proa a lo amarillo.
El aire se coagula entre sus poros
como un sudor profuso
que se anticipa a destilar en ellos
una esencia de rosas subterráneas.
Los crudos garfios de su muerte suben,
como musgo, por grietas inasibles,
ay, la hostigan con tenues mordeduras
y abren hueco por fin a aquel minuto
—¡miradlo en la lenteja del reloj,
neto, puntual, exacto,
correrse un eslabón cada minuto!—
cuando al soplo infantil de un parpadeo,
la egregia masa de ademán ilustre
podrá caer de golpe hecha cenizas.

No obstante—¿por qué no?—también en ella
tiene un rincón el sueño,
árido paraíso sin manzana
donde suele escaparse de su rostro,
por el rostro marchito del espectro
que engendra, aletargada, su costilla.
El vaso de agua es el momento justo.
En su audaz evasión se transfigura,
tuerce la órbita de su destino
y se arrastra en secreto hacia lo informe.
La rapiña del tacto no se ceba
—aquí, en el sueño inhóspito—
sobre el templado nácar de su vientre,
ni la flauta Don Juan que la requiebra
musita su cachonda serenata.
El sueño es cruel,
ay, punza, roe, quema, sangra, duele.
Tanto ignora infusiones como ungüentos.
En los sordos martillos que la afligen
la forma da en el gozo de la llaga
y el oscuro deleite del colapso.
Temprana madre de esa muerte niña
que nutre en sus escombros paulatinos,
anhela que se hundan sus cimientos
bajo sus plantas, ay, entorpecidas
por una espesa lentitud de lodo;
oye nacer el trueno del derrumbe;
siente que su materia se derrama
en un prurito de ácidas hormigas;
que, ya sin peso, flota
y en un claro silencio se deslíe.
Por un aire de espejos inminentes
¡oh impalpables derrotas del delirio!
cruza entonces, a velas desgarradas,
la airosa teoría de una nube.

Its prow was always set toward sere.
Air condenses between its pores
like a copious sweat distilling early
an essence of subterranean roses.
The cruel hooks of its death climb
like moss by inaccessible cracks.
Ah, they plague it with cunning bites
and open the wound just at the moment
—look at it in the clock's pendulum,
neat, punctual, precise,
moving a link every minute!—
when at the infant breath of a blink
the majestic mass of splendid gesture
442  can fall all at once into ashes.

443  Nevertheless, in form as well
dream has its corner,
arid, appleless paradise,
where it can steal from its own face
through the withered features of the specter
engendered by its lethargic rib.
The glass of water is the very moment.
Transfigured in its bold escape,
it twists the orbit of its fate
and creeps in secret into formlessness.
Here in the inhospitable dream
plundering touch does not despoil
the fair nacre of its belly,
nor does the wooing Don Juan flute
whisper its lustful serenade.
The dream is cruel,
it pricks, gnaws, burns, it bleeds and aches.
It cedes to neither teas nor unguents.
In the deaf hammers pounding it
form takes relish in the ulcer
and the dark delight of downfall.
Unripe mother of that infant death
nourished in its gathering ruins,
it longs for its fundament to sink
beneath its soles, benumbed, alas,
by a heavy torpor of mud.
It hears the birth of landslide's roar,
feels its matter spill into
an itch of acid ants
and float already weightlessly,
dissolving in a limpid silence.
Then through a wind of impending mirrors
—intangible paths of delirium!—
voyages with tattered sails
477  the airy theory of a cloud.

En la red de cristal que la estrangula,
el agua toma forma,
la bebe, sí, en el módulo del vaso,
para que éste también se transfigure
con el temblor del agua estrangulada
que sigue allí, sin voz, marcando el pulso
glacial de la corriente.
Pero el vaso
—a su vez—
cede a la informe condición del agua
a fin de que—a su vez—la forma misma,
la forma en sí, que está en el duro vaso
sosteniendo el rencor de su dureza
y está en el agua de aguijada espuma
como presagio cierto de reposo,
se pueda sustraer al vaso de agua;
un instante, no más,
no más que el mínimo
perpetuo instante del quebranto,
cuando la forma en sí, la pura forma,
se abandona al designio de su muerte
y se deja arrastrar, nubes arriba,
por ese atormentado remolino
en que los seres todos se repliegan
hacia el sopor primero,
a construir el escenario de la nada.
Las estrellas entonces ennegrecen.
Han vuelto el dardo insomne
a la noche perfecta de su aljaba.

Porque en el lento instante del quebranto,
cuando los seres todos se repliegan
hacia el sopor primero
y en la pira arrogante de la forma
se abrasan, consumidos por su muerte
—¡ay, ojos, dedos, labios,
etéreas llamas del atroz incendio!—
el hombre ahoga con sus manos mismas,
en un negro sabor de tierra amarga,
los himnos claros y los roncos trenos
con que cantaba la belleza,
entre tambores de gangoso idioma
y esbeltos címbalos que dan al aire
sus golondrinas de latón agudo;
ay, los trenos e himnos que loaban
la rosa marinera
que consuma el periplo del jardín
con sus velas henchidas de fragancia;
y el malsano crepúsculo de herrumbre,
amapola del aire lacerado

478 In the strangling crystal net
water finds its form,
drinks it in the measure of the glass,
so that it too is transfigured in
the tremor of the throttled, voiceless liquid
marking the icy pulse of the current.
But the glass in turn surrenders to
the formlessness of water;
so form itself in the stiff glass
sustaining the anger of its rigor
and in the water of harried foam,
like a sure omen of repose,
can part from the pillar of water
—only an instant,
the briefest, endless trice of undoing,
when form's own essence
yields to its death's resolve and lets
itself be drawn down, clouds above,
into the tortured vortex where
every being folds again
into the primal torpor
to build the stage for nothingness.
Then it is the stars grow black.
They have rendered the sleepless dart into
502 the perfect night of its quiver.

503 For in the long instant of undoing,
when every being folds again
into the primal torpor
and on the arrogant pyre of form
is fired, devoured by its death
—eyes, fingers, lips, bodiless
flames of the hellish conflagration—
man smothers with his bare hands
in a black taste of bitter earth
the fair hymns and the hoarse dirges
in which he sang beauty,
among the drums of nasal jargon
and the slender cymbals freeing in air
their swallows of strident brass
—every dirge and hymn praising
the seafaring rose
that circumnavigates the garden,
its sails filled with fragrance,
521 and the sickly, rusty twilight,
poppy of the wounded air

que se pincha en las púas de un gorjeo;
y la febril estrella, lis de calosfrío,
punto sobre las íes
de las tinieblas;
y el rojo cáliz del pezón macizo,
sola flor de granado
en la cima angustiosa del deseo,
y la mandrágora del sueño amigo
que crece en los escombros cotidianos
—ay, todo el esplendor de la belleza
y el bello amor que la concierta toda
en un orbe de imanes arrobados.

Porque el tambor rotundo
y las ricas bengalas que los címbalos
tremolan en la altura de los cantos,
se aniegan, ay, en un sabor de tierra amarga,
cuando el hombre descubre en sus silencios
que su hermoso lenguaje se le agosta,
se le quema—confuso—en la garganta,
exhausto de sentido;
ay, su aéreo lenguaje de colores,
que así se jacta del matiz estricto
en el humo aterrado de sus sienas
o en el sol de sus tibios bermellones;
él, que discurre en la ansiedad del labio
como una lenta rosa enamorada;
él, que cincela sus celos de paloma
y modula sus látigos feroces;
que salta en sus caídas
con un ruidoso síncope de espumas;
que prolonga el insomnio de su brasa
en las mustias cenizas del oído;
que oscuramente repta
e hinca enfurecido la palabra
de hiel, la tuerta frase de ponzoña;
él, que labra el amor del sacrificio
en columnas de ritmos espirales,
sí, todo él, lenguaje audaz del hombre,
se le ahoga—confuso—en la garganta
y de su gracia original no queda
sino el horror de un pozo desecado
que sostiene su mueca de agonía.

Porque el hombre descubre en sus silencios
que su hermoso lenguaje se le agosta
en el minuto mismo del quebranto,
cuando los peces todos
que en cautelosas órbitas discurren
como estrellas de escamas, diminutas,
por la entumida noche submarina,

pricked on the prongs of a bird's trill,
and the feverish star, lily of chills,
dot over the *i* of night,
and the red calyx of firm nipple,
pomegranate's only flower
on the aching peak of desire,
and the pleasant mandrake dream
growing in the daily ruins
—ah, all the glory of beauty
and the radiant love that binds it all
533  within a ring of raptured magnets!

534  For the sonorous drum and the lavish sparklers
cymbals dispel at the height of song
drown in a taste of bitter earth
when man finds in his silences
that his fair language parches,
scorches, jumbled in the throat,
spent of meaning.
Yes, his aerial tongue of colors
that boasts its faithful nuances
in the stricken smoke of its siennas
or in the sun of its warm vermilions;
that talks in the longing of the lip
like a slow-opening rose in love;
that chisels its dovelike jealousy
and tempers its savage whips;
that bounces in its fall
with a noisy fainting of foam;
that prolongs the insomnia of its coal
in the withered ashes of the ear;
that darkly crawls
and, furious, drives in the word of gall,
the forkèd phrase of venom;
556  that shapes the smoke of sacrifice
into its columns of spiral rhythms.
Yes, all the bold language of man
smothers, jumbled, in the throat,
leaving nothing of its first grace,
only the horror of a dry well
562  holding its grin of agony.

563  For man finds in his silences
that his fair language parches
at the very moment of undoing,
when all the fish
wheeling in their cautious circles
through the numbed undersea night
like tiny scaled stars

cuando los peces todos
y el ulises salmón de los regresos
y el delfín apolíneo, pez de dioses,
deshacen su camino hacia las algas;
cuando el tigre que huella
la castidad del musgo
con secretas pisadas de resorte
y el bóreas de los ciervos presurosos
y el cordero Luis XV, gemebundo,
y el león babilónico
que añora el alabastro de los frisos
—¡flores de sangre, eternas,
en el racimo inmemorial de las especies!—
cuando todos inician el regreso
a sus mudos letargos vegetales;
cuando la aguda alondra se deslíe
en el agua del alba,
mientras las aves todas
y el solitario buho que medita
con su antifaz de fósforo en la sombra,
la golondrina de escritura hebrea
y el pequeño gorrión, hambre en la nieve,
mientras todas las aves se disipan
en la noche enroscada del reptil;
cuando todo—por fin—lo que anda o repta
y todo lo que vuela o nada, todo,
se encoge en un crujir de mariposas,
regresa a sus orígenes
y al origen fatal de sus orígenes,
hasta que su eco mismo se reinstala
en el primer silencio tenebroso.

Porque los bellos seres que transitan
por el sopor añoso de la tierra
—¡trasgos de sangre, libres,
en la pantalla de su sueño impuro!—
todos se dan a un frenesí de muerte,
ay, cuando el sauce
acumula su llanto
para urdir la substancia de un delirio
en que—¡tú! ¡yo! ¡nosotros!—de repente,
a fuerza de atar nombres destemplados,
ay, no le queda sino el tronco prieto,
desnudo de oración ante su estrella;
cuando con él, desnudos, se sonrojan
el álamo temblón de encanecida barba
y el eucalipto rumoroso,
témpano de follaje
y tornillo sin fin de la estatura
que se pierde en las nubes, persiguiéndose;

—when all the fish,
571 with the Ulysses salmon of return
and the Apollonian dolphin, fish of gods,
retrace their way toward algae;
when the tiger that treads
the chastity of moss
with secret, springing pads
and the Boreas of the fleet stag
and the bleating lamb of Louis XV
and the Babylonian lion pining
for the alabaster of the friezes
—all eternal flowers of blood
on the immemorial stem of the species—
when all of them begin the return
to their mute vegetable lethargies;
when the treble lark
dissolves in the mist of dawn;
when all the birds,
the lone owl in his phosphorescent mask
meditating in the shadow,
the swallow of Hebraic characters,
591 and the little sparrow, hunger in the snow
—when all the birds fade into
the coiled, reptilian night;
when finally all that walks or crawls
and all that flies or swims
shrink into a rustle of butterflies,
retreat into their own beginnings
and the fatal genesis of beginning,
until their echo reinstalls itself
600 in the first dark silence.

601 For the beautiful beings that journey through
the ancient slumber of the earth
—ghosts of flesh and blood straying
on the screen of its impure dream—
all surrender to a frenzy of death,
when the willow accumulates its tears
to weave the stuff of delirium
in which—you, I, we . . .
Suddenly,
from lacing ill-matched names,
only the tight trunk remains,
naked of prayer before its star;
when naked too are blushing
the trembling poplar of hoary beard
and the murmuring eucalyptus,
floe of foliage, worm gear of height,
chasing and losing itself in the clouds;

y también el cerezo y el durazno
en su loca efusión de adolescentes
y la angustia espantosa de la ceiba
y todo cuanto nace de raíces,
desde el heroico roble
hasta la impúbera
menta de boca helada;
cuando las plantas de sumisas plantas
retiran el ramaje presuntuoso,
se esconden en sus ásperas raíces
y en la acerba raíz de sus raíces
y presas de un absurdo crecimiento
se desarrollan hacia la semilla,
hasta quedar inmóviles
¡oh cementerios de talladas rosas!
en los duros jardines de la piedra.

Porque desde el anciano roble heroico
hasta la impúbera
menta de boca helada,
ay, todo cuanto nace de raíces
establece sus tallos paralíticos
en los duros jardines de la piedra,
cuando el rubí de angélicos melindres
y el diamante iracundo
que fulmina a la luz con un reflejo,
más el ario zafir de ojos azules
y la geórgica esmeralda que se aniega
en el abril de su robusta clorofila,
una a una, las piedras delirantes,
con sus lindas hermanas cenicientas,
turquesa, lapislázuli, alabastro,
pero también el oro prisionero
y la plata de lengua fidedigna,
ingenuo ruiseñor de los metales
que se ahoga en el agua de su canto;
cuando las piedras finas
y los metales exquisitos, todos,
regresan a sus nidos subterráneos
por las rutas candentes de la llama,
ay, ciegos de su lustre,
ay, ciegos de su ojo,
que el ojo mismo,
como un siniestro pájaro de humo,
en su aterida combustión se arranca.

and also the cherry and the peach
in their mad adolescent effusion;
and the frightful anguish of the ceiba;
and everything that is born of roots,
from the heroic oak
623  to the callow mint of gelid mouth;
when the soles of all the humble plants
draw in the presumptuous boughs,
hide within their knotty roots
and in the bitter roots of their roots,
and, seized by a crazy growth,
unfold into the seed,
until they halt, stilled,
graveyards of carved roses
632  in rigid gardens of stone.

633  For, from the ancient heroic oak
to the callow mint of gelid mouth,
everything that is born of roots
fixes its paralytic stem
in rigid gardens of stone,
638  when the ruby of angelic prudery
648  and the wrathful diamond
retorting its flash at light,
as well as the blue-eyed Aryan sapphire
and the georgic emerald flooded in
the April of its vital chlorophyll,
one by one the delirious stones,
with their lovely Cinderella sisters,
turquoise, lapis lazuli, alabaster
647  —but also imprisoned gold
and truth-telling silver,
candid nightingale of metals,
drowning in the well of its song—
when the precious stones and matchless metals
return to their subterranean lairs
by candent routes of flame,
lusterless and blind
like a sinister bird of smoke
darkened in the eye
657  it plucks out in its chill combustion.

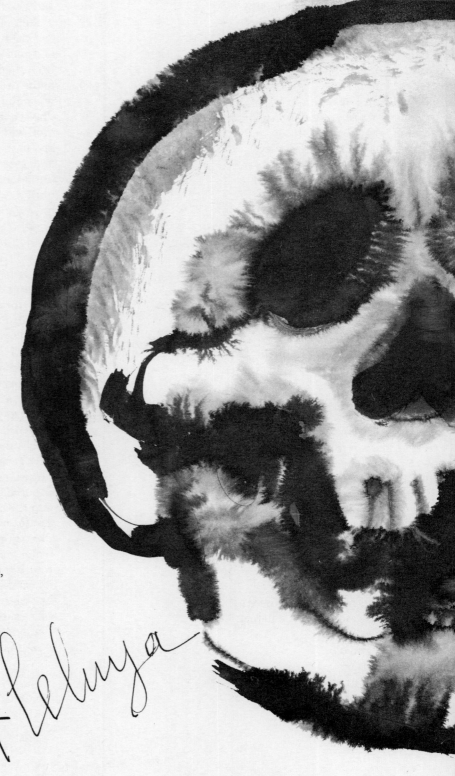

Porque raro metal o piedra rara,
así como la roca escueta, lisa,
que figura castillos
con sólo naipes de aridez y escarcha,
y así la arena de arrugados pechos
y el humus maternal de entraña tibia,
ay, todo se consume
con un mohíno crepitar de gozo,
cuando la forma en sí, la forma pura,
se entrega a la delicia de su muerte
y en su sed de agotarla a grandes luces
apura en una llama
el aceite ritual de los sentidos,
que sin labios, sin dedos, sin retinas,
sí, paso a paso, muerte a muerte, locos,
se acogen a sus túmidas matrices,
mientras unos a otros se devoran
al animal, la planta
a la planta, la piedra
a la piedra, el fuego
al fuego, el mar
al mar, la nube
a la nube, el sol
hasta que todo este fecundo río
de enamorado semen que conjuga,
inaccesible al tedio,
el suntuoso caudal de su apetito,
no desemboca en sus entrañas mismas,
en el acre silencio de sus fuentes,
entre un fulgor de soles emboscados,
en donde nada es ni nada está,
donde el sueño no duele,
donde nada ni nadie, nunca, está muriendo
y solo ya, sobre las grandes aguas,
flota el Espíritu de Dios que gime
con un llanto más llanto aún que el llanto,
como si herido—¡ay, Él también!—por un cabello,
por el ojo en almendra de esa muerte
que emana de su boca,
hubiese al fin ahogado su palabra sangrienta.
　　¡ALELUYA, ALELUYA!

¡Aleluya

658 For, precious metal or rare stone,
as well as the smooth single rock
erecting castles
with only cards of drought and rime,
and the sands of wrinkled breasts as well
and the mother humus of warm bowel,
all are consumed
in a surly crackling of zest,
when form's own essence
yields to the relish of its death
and, thirsty, in monstrous blazes
drains, flaming,
the ritual oil of the senses,
that without lips or fingers or eyes,
step by step, death by death, obsessed,
retreat into their swollen wombs,
devoured each one by the other:
the animal by the plant,
the plant by the stone,
the stone by the fire,
the fire by the sea,
the sea by the cloud,
the cloud by the sun,
until all this fecund river
of lovesick semen that conjugates
so tirelessly
the sumptuous flood of its appetite
empties into its own vitals,
in the acrid silence of its source,
amid the splendor of suns in ambush,
where there is nothing and nothing is,
where the dream does not torment,
where nothing or no one ever is dying,
and already sole over the vast waters
floats the spirit of God groaning
with a groan even deeper than a groan
as if—He too!—impaled by a hair,
by the almond eye of that death
flowing ever from His mouth,
at last had choked His bloody word.

698 ALLELUIA! ALLELUIA!

¡Tan-tan! ¿Quién es? Es el Diablo,
es una espesa fatiga,
un ansia de trasponer
estas lindes enemigas,
este morir incesante,
tenaz, esta muerte viva,
¡oh Dios! que te está matando
en tus hechuras estrictas,
en las rosas y en las piedras,
en las estrellas ariscas
y en la carne que se gasta
como una hoguera encendida,
por el canto, por el sueño,
por el color de la vista.

¡Tan-tan! ¿Quién es? Es el Diablo,
ay, una ciega alegría,
un hambre de consumir
el aire que se respira,
la boca, el ojo, la mano;
estas pungentes cosquillas
de disfrutarnos enteros
en solo un golpe de risa,
ay, esta muerte insultante,
procaz, que nos asesina
a distancia, desde el gusto
que tomamos en morirla,
por una taza de té,
por una apenas caricia.

¡Tan-tan! ¿Quién es? Es el Diablo,
es una muerte de hormigas
incansables, que pululan
¡oh Dios! sobre tus astillas;
que acaso te han muerto allá,
siglos de edades arriba,
sin advertirlo nosotros,
migajas, borra, cenizas
de ti, que sigues presente
como una estrella mentida
por su sola luz, por una
luz sin estrella, vacía,
que llega al mundo escondiendo
su catástrofe infinita.

699 Knock, knock! Who's there? The Devil,
a heavy tiredness,
a longing to pass beyond
these enemy lines,
this constant, relentless dying,
this living death, O God,
that is killing You
in Your strict handiwork,
in roses and in stones,
in the bristling stars
and flesh spending itself
like a blazing fire,
through song, through dreams,
through the color of sight.

Knock, knock! Who's there? The Devil,
a blind joyfulness,
a hunger to consume
the air we breathe,
the mouth, the eye, the hand;
this pricking itch
to savor all we are
in a single burst of laughter,
ah, this insulting, impudent
death that murders us
from afar in the pleasure
we take in dying it,
through a cup of tea,
through a bare caress.

Knock, knock! Who's there? The Devil,
a death of tireless ants
swarming, O God,
over scraps of You
that may have died yonder
eons of ages ago
without our noticing,
crumbs, lees, ashes
of You, Who still are present
like a star dissembled
by its light alone,
starless, empty light
reaching the world hiding
its infinite catastrophe.

# muerte sin fin    4    death without end

[BAILE]

Desde mis ojos insomnes
mi muerte me está acechando,
me acecha, sí, me enamora
con su ojo lánguido.
¡Anda, putilla del rubor helado,
anda, vámonos al diablo¡

DANCE

From my sleepless eyes
my death lies in ambush,
waylays me, woos me
with its languid eye.
Come along,
little wench of the frozen blush.
Come along,
749    let's go to the devil!

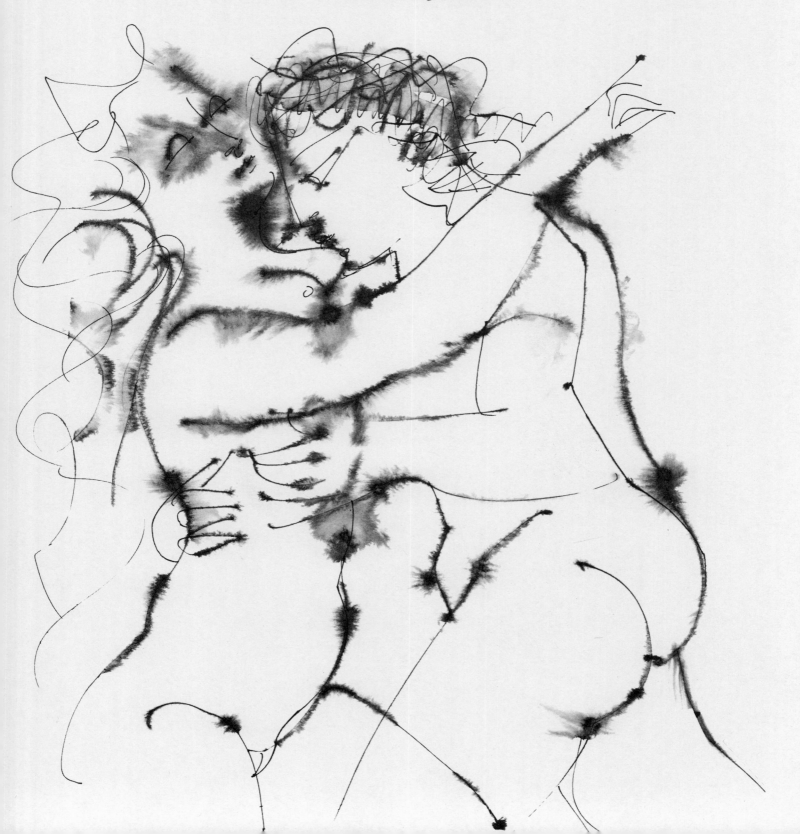

muerte sin fin   &#9760;   death without end

## 1

**1–47 : *Full of myself, besieged within my skin,* etc.**
The metaphor of the water and the glass that holds it is used to describe man's influx of consciousness.

**48–121 : *Yet also what a provident glass!* etc.**
The glass represents form, represents "God." The creature is matter molded by this glass which is apparent to him "only in a gathered transparency." This God is at once "an embracing tenderness for the creature," a mere "hollow moment of the spirit," a fortuitous event that "simply happens, ripens, befalls," and an impersonal engineer employing "His infantile mechanics . . . in the tangled ardor of the cosmos."

**97 : *those electric words***
A metaphor referring to a mechanical repetition of words such as that of a blinking, neon-lighted sign—words that escape our memory at the very moment we need them, to come irrelevantly into the mind later on.

**117 : *the inkwell, the chair, the calendar***
Objects weighted with no particular symbolism in themselves (as has been suggested by some students of the poem), but merely haphazard trivialities emphasizing the idea that God can be as everyday as any mundane object. No religious connotation was intended.

**122–167 : *But in the tiny zone of the eye,* etc.**
This passage praises the innocent joy and beauty of life, and shows a versatile, playful God carelessly discharging his works and creatures into the cosmos.

**130 : *—of me, of Him, of us three—***
There is more here than is readily explained in Christianity, Buddhism, or the other religious systems devolving about the mystery of a trinity. At a given moment, however, the "three" could be man (the poet), God, and the rest of creation—the rest being at times one (for instance: woman), at times the entire content of otherness.

**136–138 : *. . . the mildewed yesterdays,***
       *the ancient absent rose,*
       *and tomorrow's promised fruit*
The past and the future.

**168–207 : *But even in the marrow of this joy,* etc.**
Here creation is only a dream observing itself, instinct with all the possibilities of growth, art, misery, decline.

**208–247 : *Yet nothing happens, no,* etc.**
The brooding dream of creation encompasses death as well as life. The endless circle of life leads to death—leading to life—leading to . . .— all dream-sealed and eternal. Instead of God it is intelligence that the poet addresses here (an intelligence synonymous with God?)

**248–294 : *O intelligence, flaming solitude,* etc.**
Intelligence is "exquisitely one with its sterile god," conceiving creation without "framing" it. The identification of intelligence and God seems almost complete, just as in the second quotation from Proverbs preceding the poem. The strain of barren oneness "at the lethal edge of the word and the very threshold of the blood," provokes a cry—whether of praise or anguish, it is hard to tell—of "Alleluia! Alleluia!"

**289 : *with Him, with me, the three***
See note for line 130.

## 2

**295–340 : *The flower hoists its colors,* etc.**
A graceful intermezzo recalling the mood and form of sixteenth century Spanish "arte menor," a lyric disengagement from the tension of the preceding section. It is an exclamation over the world's splendor, contrasting it to the amorphous unformed matter underlying all, symbolized by the water lying in the field (standing for the prime matter of man, his fate?)
At the same time this intermezzzo seems to arrive in almost a casual manner at the materialization of life. Until now the mood of the poem has been contemplative, as the poet questions being. Here, in the purest, most natural way "the flower hoists its colors" in simple, unthinking charm, clamoring individuality, dazzling variety. Besides, "Love has terrible purple hounds, but also its harvests, also its birds"—and woven throughout is the unresolvable pathos symbolized by the poverty and helplessness of "water."

## 3

**341–379 : *In the rigor of the clarifying glass,* etc.**
The vigorous opening lines of this section return to the central metaphor of the poem. Here in a sense creation finds full consciousness. Matter encounters and suffers its longed-for form.

**360 : *It wants a bridal bed of shadow too.***
Although the Spanish "tálamo" could refer to the thalamus (optic nerve), it is used here in its original Greek sense of "bridal bed" or "chamber."

**380–404 : *But the glass alone is unfulfilled,* etc.**
Form (intelligence, God) is incomplete without matter to hold and encompass.

**405–442 : *And form alone is unfulfilled,* etc.**
Over-elaborate, empty form is mocked—in general terms as well as in its specific manifestation in vainly ornate poetry. Since merely decorated form consists of sheer artifice and has no real content, it can crumble into nothing at the slightest breath of reality.

**412 : *In the august pituitaries of onyx,* etc.**
The imposing monument of empty form is worshiped through vacuous, stylistic poetry.
In the deliberate artificiality of this passage Gorostiza ridicules florid, bombastic style.

443–477 : *Nevertheless, in form as well*, etc.
Even so, dream has a place in the grandiose structure of form. However cruel a torture love may be, it is a respite from form's "own face."

478–502 : *In the strangling crystal net*, etc.
Man becomes himself within the measure of molding form. "But the glass in turn surrenders to the formlessness of water" —so that interdependent water (matter) and glass (form) separate. The interaction of matter and form, form and matter, is the undoing of both. This is the threshold of death, "building the stage for nothingness."

503–533 : *For in the long instant of undoing*, etc., and
534–562 : *For the sonorous drum and the lavish sparklers*, etc.
Man's unique flower, language, is the first to succumb in the general holocaust of undoing.

521 : *and the sickly, rusty twilight, poppy of the wounded air*
The sunset or twilight sky is ruddy, as if bleeding from the prick of a bird's sharp trill.

556 : *that shapes the smoke of sacrifice into its columns of spiral rhythms.*
Since "spiral rhythms" refers to the movement of smoke in a sacrifice by fire, I have taken the liberty of a particularly free translation of these lines in order to clarify the idea in English.

563–600 : *For man finds in his silences*, etc.
After the murder of language, symbolizing the end of man, all the other animal species retreat into their geneses.

571–591 : *with the Ulysses salmon of return*, etc.
This fanciful list of the different species, with its overtones of epic literature, mythology, and art has delighted and intrigued many readers. "Boreas" (the North Wind) applied to the stag describes its swiftness. "The bleating lamb of Louis XV," which has provoked various explanations, simply compares the crispy wool of the lamb to the curly wig of Louis XV of France. The "swallow of Hebraic characters" likens the seemingly erratic swoops and turns of the swallow's flight to the contours of Hebrew handwriting.

601–632 : *For the beautiful beings that journey through*, etc.
With the disappearance of the animal species, all the plants retreat into the "roots of their roots . . . in rigid gardens of stone."

623 : *to the callow mint of gelid mouth*
"Gelid" describes the sensation of coldness that mint gives to the mouth.

633–657 : *For from the ancient heroic oak*, etc.
As plant life vanishes, so do all the stones and metals.

638 : *the ruby of angelic prudery*
Refers to the blush of the ruby's color.

647 : *imprisoned gold*
Unmined gold lying in the ore.

648 : *and truth-telling silver, candid nightingale of metals*
Silver, on being struck, rings true. The Spanish phrase 'hablar en plata" means to speak frankly, without reserve.

658–698 : *For, precious metal or rare stone*, etc.
On the immolation of the stones and metals, form itself meets its end—and "there is nothing, and nothing is," and "God's bloody word" is "choked" in death, evoking the immense irony of that last 'Alleluia! Alleluia!"
As the syntax of this great verse period is complex, it may be helpful to know that: (1) the center of the grammatical sentence is line 664, "all are consumed . . ." (2) it is the "senses" that "retreat into their swollen wombs."

4

699–749 : *Knock, knock! Who's there? The Devil*, etc.
The first three divisions of the coda start with a sardonic echo of the Spanish and Mexican folk game, "el juego de los listones," beginning:

> ¡Tan-tan!
> ¿Quién es?
> La Vieja Inés.
> ¿Qué quieres?
> Un listón.
> ¿De qué color? . . . *etc.*

This bitter mockery throws one back from the insoluble dilemma of creation's meaning and worth into the blind stream of fate. Here is a fundamental Mexican attitude: a derisive acceptance of death, which (since life is an endless death) is essentially the bravado of a desperate immersion in life. "Let's go to the devil!" means in effect "Let's get on with living!"

## I : *Works of José Gorostiza*

### POETRY

*Canciones para Cantar en las Barcas*. México: Editorial Cultura, 1925.

*Muerte sin Fin*. México: Ediciones R. Loera y Chávez, 1939. 2nd. ed.: *Muerte sin Fin, (Poesía); Comentario de Octavio Paz*. México: Imprenta Universitaria, 1952. (Grandes poemas de México, 3)

[Phonograph disc, 33 rpm] "José Gorostiza." México: Universidad Nacional Autónoma de México [1960] (Voz Viva de México)

[*Muerte sin Fin* read by the author. Includes a pamphlet which contains an essay by Alí Chumacero as well as the text of the poem.]

*Poesía; Notas sobre Poesía; Canciones para Cantar en las Barcas; Del Poema Frustrado; Muerte sin Fin* [México] Fondo de Cultura Económica [1964] (Letras Mexicanas).

Eight poems more, four of which constitute probably his first published works, are printed in: Martínez Peñaloza, Porfirio. *Algunos Epígonos del Modernismo y Otras Notas. . .* México: Edición Camelina, 1966. pp. 201–213.

### TRANSLATIONS

Gantrillon, Simón. *Maya (Drama)* . . . México: Editorial Cultura, 1930.

Maurois, André. "*La Conversación* de A[ndré] Maurois." *Contemporáneos, Revista Mexicana de la Cultura*. IV, no. 11 (abril-junio, 1929), pp. 70–84; VII, no. 23 (abril-junio, 1930), pp. 47–65.
Also published separately:
Maurois, André. *La Conversación*. . . México: "La Razón, S.A.", 1931.

### PROSE

[letter to Bernardo Ortiz de Montellano] in *Una Botella al Mar* [contains letters of Jorge Cuesta, José Gorostiza, Jaime Torres Bodet, and Xavier Villaurrutia to Bernardo Ortiz de Montellano on the latter's book of poems, *Sueños*] México: Rueca, 1946. pp. 21–28.

"Metamórfosis del Amigo." *América, Revista Antológica*, México, no. 61 (1949), pp. 17–20. [short story]

"Misión de la Academia; Notas sobre Poesía. . . Discurso de Recepción como Miembro de Número de la Academia de la Lengua, Pronunciado por el Autor el Día 22 de Marzo de 1955." *Memorias de la Academia Mexicana Correspondiente de la Española (Discursos Académicos)*. México: Ediciones Jus, 1956. v.XV, pp. 171–183. Also published as "Notas sobre Poesía." *Estaciones, Revista Literaria de México*, México, III, no. 9 (primavera, 1958), pp. 1–11.
Also published in his: *Poesía*. . .[México] Fondo de Cultura Económica [1964] (Letras Mexicanas).

"Perfil Humano y Esencias Literarias de Ramón López Velarde." [speech pronounced at the burial of López Velarde in the Rotonda de los Hombres Ilustres, June 15, 1963] *México en la Cultura*. [suppl. of *Novedades*, México] no. 743 (16 junio, 1963), p. 1.

[prologue] Omar Khayyam. *Rubaiyat*. Versión de Eduardo Hay. Prólogo de José Gorostiza. . . 3rd. ed. México: Editorial de Miguel N. Lira, Talleres "Fábula," 1938.

[prologue] Patronato de la Operación de los Teatros del Instituto Mexicano del Seguro Social. *Teatro 1960–1963*, Prólogo de José Gorostiza. México, Patronato. . ., Talleres Hermilo, 1963. pp. 1–2.

"Ramón López Velarde y su Obra. Conferencia Sustentada en la Biblioteca 'Cervantes,' México, 1924." *La Voz Nueva*, México.

[review of *Escalera (Tocata y Fuga)* by Genaro Estrada] *Contemporáneos*. . ., IV, no. 14 (julio, 1929), pp. 341–344.

[review of *Luna de Copas* by Antonio Espina] *Contemporáneos*. . .,V, no. 16 (agosto-diciembre, 1929), pp. 157–159.

[review of *Paula y Paulita* by Benjamin Jarnés] *Contemporáneos*. . ., V, no. 15 (agosto-diciembre, 1929), pp. 68–72.

[review of *La Rueca de Aire* by José Martínez Sotomayor] "Morfología de *La Rueca de Aire*." *Contemporáneos*. . ., VII, no. 25 (abril-junio, 1930), pp. 240–248.

"El Teatro de Orientación." [read at the inauguration of the theater season, June 28, 1932] *Examen, Revista Mensual de Literatura*, México, no. 2 (septiembre, 1932), pp. 20–22.

## II : *Anthologies in which Poems of Gorostiza Appear*

Abreu Gómez, Ermilo, comp. *Bellas, Claras, y Sencillas Páginas de la Literatura Castellana (España e Hispanoamérica)* . . . México: B. Costa-Amic, Editor [1965] pp. 200–202.

Altolaguirre, Manuel, comp. *Presente de la Lírica Mexicana (Antología Homenaje)* [México] El Ciervo Herido, Roberto Barrié y Manuel Altolaguirre, Editores [n.d.] pp. 49–56.

Anderson Imbert, Enrique, and Eugenio Florit, comps. *Literatura Hispanoamericana; Antología e Introducción Histórica*. New York: Holt, Rinehart and Winston, Inc., 1960. pp. 663–664.

Arellano, Jesús, comp. *Antología de los 50 Poetas Contemporáneos de México*. México [Alatorre] 1952. pp. 61–68.

Castro Leal, Antonio, comp. *La Poesía Mexicana Moderna* [México] Fondo de Cultura Económica [1953] (Letras Mexicanas, 12) pp. xxvii, 289–297.

Cuesta, Jorge, comp. *Antología de la Poesía Mexicana Moderna*. México: Contemporáneos, 1928, p. 200.

Fitts, Dudley, ed. *Anthology of Contemporary Latin-American Poetry*, Rev. and enl. ed. Norfolk, Conn.: New Directions [© 1947] pp. 22–27, 608, 609. [bi-lingual ed.]

García Maroto, Gabriel, comp. *Nueva Antología de Poetas Mexicanos*. Madrid: La Gaceta Literaria, 1928. pp. 18–29.

González Ramírez, Manuel, y Rebeca Torres Ortega, comps. *Poetas de México—Antología de la Poesía Contemporánea*. México: Editorial América, 1945. pp. 184–187.

Hays, Hoffman Reynolds. *12 Spanish American Poets, an Anthology* . . . English Translations, Notes, and Introduction . . . New Haven: Yale University Press [© 1943]. pp. 169–191. [bi-lingual ed.]

Lambert, Jean-Clarence, comp. *Los Poésies Mexicaines*. [Paris] Editions Seghers [1961] [French translations of Gorostiza by different translators, pp. 248–262.]

*Laurel; Antología de la Poesía Moderna en Lengua Española*. Compiladores: Emilio Prados, Xavier Villaurrutia, Juan Gil-Albert, Octavio Paz. Prólogo de Xavier Villaurrutia. México: Editorial Séneca, 1941.

Maples Arce, Manuel, comp. *Antología de la Poesía Mexicana Moderna*. . . Roma: Poligráfica Tiberina, 1940. pp. 336–350.

Martínez, José Luís. *Poéticas Mexicanas Modernas; Narciso.* [suppl. of *Tierra Nueva*, Mexico], 1942, pp. 13–15 (Tierra Nueva, 13 y 14).

Martínez Rendón, M. D. *Mensajes Líricos de México; 18 Poetas.* Selecc. y Notas de. . . México: Talleres Tipográficos de la Lotería Nacional, 1938. pp. 49–51.

Millán, María del Carmen. *Literatura Mexicana, con Notas de Literatura Hispano-americana y Antología, de Acuerdo con los Programas Oficiales.* 3rd. ed. 1966 [© 1962] pp. 304, 320.

Monsiváis, Carlos, ed. and comp. *La Poesía Mexicana del Siglo XX; Antología, Notas, Selección y Resumen Cronológico de.* . . México: Empresas Editoriales, S.A., 1966. pp. 31–32, 36–37, 403–418.

Ory, Eduardo de, comp. *Antología de la Poesía Mexicana.* Madrid: M. Aguilar, 1936. pp. 133–135.

Patterson, Helen Wohl, comp. and tr. *Lira Mexicana; Antología Recopilada y Traducida por Helen Wohl Patterson. Song of Mexico; Anthology Compiled and Translated by.* . . México: INBA, Depto. de Literatura, 1964. pp. 56–59. [bi-lingual ed.]

*Poesía en Movimiento; México, 1915–1966.* Selección y Notas de Octavio Paz, Alí Chumacero, José Emilio Pacheo y Homero Aridjis. Prólogo de Octavio Paz. [México] Siglo Veintiuno Editores, S.A. [1966] pp. 19–20, 341–357.

*Poesía Mexicana Contemporánea; Antología de El Nacional.* México: El Nacional, 1939. v.2, pp. 5–12. (Biblioteca del Maestro)

Ruiz Medrano, José, comp. *Lira; Antología Lírica Española, Hispanoamericana y Mexicana.* México: Editorial Jus, 1963. pp. 460–468.

Underwood, Edna Worthley, comp. and tr. *Anthology of Mexican Poets, from the Earliest Times to the Present Day.* . . . Portland, Maine: The Mosher Press, 1932. pp. 167–171.

Valverde, José María. *Antología de la Poesía Española e Hispanoamericana.* . . 2 v. México: Editorial Renacimiento, S.A. [© 1962] v.II., pp. 337–338.

Velázquez Chávez, Agustín, comp. *Jardín de la Poesía Mexicana, Siglos XV al XX.* . . México: Poesía Hispanoamericana, 1966. pp. 469–472.

Wells, Henry W., comp. *One Thousand and One Poems of Mankind; Memorable Short Poems from the World's Chief Literatures.* Tupper and Love [© 1953]

### III : *Concerning the Poetry of Gorostiza*

Abreu Gómez, Ermilo. "José Gorostiza." *El Nacional*, México (26 septiembre, 1944.)
"Los Libros y Otros Engaños. José Gorostiza, o la Poesía." *Revista Mexicana de Cultura* [suppl. of *El Nacional*, México] no. 842 (19 mayo, 1963), p. 6. Also published in *Vida Universitaria*, Monterrey, México, no. 636 (2 junio, 1963.)

Anderson Imbert, Enrique. *Historia de la Literatura Hispano-americana.* 3rd. ed. 2 v. [México] Fondo de Cultura Económica [1961] (Breviarios, 89 y 156), v. 2: pp. 51, 74, 155, 156, 159–160.
*Spanish-American Literature; a History.* Tr. from the Spanish by John V. Falconieri. Detroit: Wayne State University, 1963. pp. 335, 371, 429, 432.

Arellano, Jesús. "José Gorostiza." *La Gaceta del Fondo de Cultura Económica*, México, XIII, no. 143 (julio, 1966) [review of *Una Poética Moderna* by Mordecai S. Rubín]
"José Gorostiza." *Nivel, México*, no. 45 (25 septiembre, 1962), p. 5.

Arizmendi, Aralia L. "Una Aproximación a 'Muerte sin Fin'." *El Día*, México (30 enero, 1968.)

Áviles, Alejandro. "Poetas Mayores: Comentario a *Muerta sin Fin*, Poema Central de Gorostiza." *Revista de la Semana.* [suppl. of *El Universal*, México] (26 julio, 1953), p. 14.
"Poetas Mayores: 'La Poesía Consiste en Hacer Transparente el Lenguaje Para Ver la Esencia'—Gorostiza." *Revista de la Semana* [suppl. of *El Universal*, México] (19 julio, 1953), p. 17.

Barreda, Octavio G. "José Gorostiza, o De la Inteligencia." *Romance, Revista Popular Hispánica*, México, no. 1 (1 febrero, 1940.) Also in *Revista de la Universidad de México*, v. XVIII, no. 6 (febrero, 1964), pp. 23–24.

Batis, Huberto. [review of *Poesía* by José Gorostiza] *La Cultura en México* [suppl. of *Siempre!*, México] no. 145 (25 noviembre, 1964), p. xix.

Carballo, Emmanuel. *19 [diecinueve] Protagonistas de la Literatura Mexicana del Sigo XX.* México: Empresas Editoriales, S.A., 1965. pp. 203–210.
"José Gorostiza. Entre los 'Contemporáneos,' este Escritor de Pocas Palabras y Raros Libros es el Más Humano y el Más Inteligente." *La Cultura en México* [suppl. of *Siempre!*, México] no. 180 (28 julio, 1965), pp. I–IV.
"José Gorostiza, Poeta para Toda la Vida." *La Cultura en México* [suppl. of *Siempre!*, México] no. 140 (21 octubre, 1964), p. XIII.
"Torres Bodet y Gorostiza." *La Cultura en México* [suppl. of *Siempre!*, México] no. 221 (11 mayo, 1966), p. XIII.

Cardona Peña, Alfredo. "Fotocharlas: José Gorostiza." *El Nacional*, México (3 julio, 1949.)
*Semblanzas Mexicanas; Artistas y Escritores del México Actual.* México: Ediciones Libro-Mex, 1955. (Biblioteca Mínima Mexicana, no. 10) pp. 96–98.

Carrera Andrade, Jorge. "México en Dos Dimensiones." *La Voz*, New York, III, no. 11 (febrero, 1959), p. 21.

Charry Lara, Fernando. [review of *Poesía* by José Gorostiza] *Eco; Revista de la Cultura de Occidente*, Bogotá, Colombia, no. 59 (marzo, 1965), pp. 578–581.

Colín, Eduardo. *Rasgos.* México: Imprenta Manuel León Sánchez, S.C.L., 1934. pp. 135–140.

Cruz, Salvador. "Con José Gorostiza." *México en la Cultura* [suppl. of *Novedades,* México] no. 689 (27 mayo, 1962), p. 5.

Cuesta, Jorge. *Poemas y Ensayos*. México: U.N.A.M., 1964. (Colección Poemas y Ensayos) v.II: pp. 14–17. v.III: pp. 326–331, 363–367.

[review of *Canciones para Cantar en las Barcas*] *Revista de Revistas*, México, (11 octubre, 1925), pp. 31–50.

[review of *Muerte sin Fin*] *Noticias Gráficas*, México (18 diciembre, 1939), p. 9.

[review of *Muerte sin Fin*] "Una Poesía Mística." *Romance; Revista Popular Hispánica*, México (15 febrero, 1940), p.2.

Cuevas, Rafael. *Panorámica de las Letras III: Xavier Villaurrutia–José Gorostiza*. México: Ediciones de la Revista Bellas Artes, 1956. pp. 61–124.

Dauster, Frank. *Breve Historia de la Poesía Mexicana*. México: Ediciones de Andrea, 1956. (Manuales Studium, no. 4) pp. 153–154.

*Ensayos sobre Poesía Mexicana; Asedio a los Contemporáneos*. México: Ediciones de Andrea, 1963. (Colección Studium, no. 41) pp. 30–44.

"Notas sobre *Muerte sin Fin*." *Revista Iberoamericana, Órgano del Instituto Internacional de Literatura Iberoamericana*, University of Iowa, Iowa City, Iowa, XXV, no. 50 (julio-diciembre, 1960), pp. 273–288.

[review of *La Poesía de José Gorostiza* by Andrew P. Debicki] *Revista Iberoamericana*, XXIX, no. 55 (enero-junio, 1963), pp. 194–195.

Debicki, Andrew P. "La Función de la Naturaleza en *Canciones para Cantar en las Barcas*." *Revista Iberoamericana*, XXVII, no. 53 (enero-junio, 1962), pp. 141–153.

*La Poesía de José Gorostiza*. México: Ediciones de Andrea, 1962. (Colección Studium, no. 36)

"Sobre la Poesía y la Crítica Literaria de José Gorostiza." *Revista Iberoamericana*, XXVI, no. 51 (enero-junio, 1961), pp. 147–154.

Ealling, Till. [note on Gorostiza] *América, Revista Antológica*, México, no. 61 (1949), p. 18.

Espinosa Polit, Aurelio, and Emma Godoy. "Al Filo de *Muerte sin Fin*." *Ábside, Revista de Cultura Mexicana*, México, XXIII, no. 2 (abril-junio, 1959), pp. 125–180.

Fontanar, Héctor. "Nombres de México: José Gorostiza, Poeta y Diplomático." *El Día*, México (14 septiembre, 1964), p. 9.

Forster, Merlin H. "The 'Contemporáneos': a Major Group in Mexican *Vanguardismo*." University of Texas *Studies in Literature and Language*, III, no. 4 (winter, 1962), pp. 425–538. Also in Spanish: *Los Contemporáneos, 1920–1932, Perfil de un Experimento Vanguardista Mexicano*. México: Ediciones de Andrea, 1964. (Colección Studium, no. 46) pp. 67–76, 130–131.

"Notas sobre unos Poemas No Estudiados de José Gorostiza." *Revista Iberoamericana*, XXVI, no. 52 (julio-diciembre, 1961), pp. 323–327.

Godoy, Emma. "*Muerte sin Fin* de Gorostiza." *Ábside*, XXIII, no. 2 (abril-junio, 1959), pp. 125–180. Also in her *Sombras de Magia; Poesía y Plástica* [México] Fondo de Cultura Ecónomica [c 1968] (Letras Mexicanas, 90) pp. 9–69.

González Casanova, Henrique. "Textos y Autores." *Ovaciones, Suplemento Dominical de Artes, Letras, Ciencias*, México, no. 124 (10 mayo, 1964), p. 7.

Henestrosa, Andrés. "Veinticinco Años de Poesía Mexicana." *Letras de México, Gaceta Literaria y Artística*, México, III, no. 16 (15 abril, 1942), pp. 5–6.

J. C. "Acuse de Recibo." [review of *Poesía* by José Gorostiza] *Insula, Revista Bibliográfica de Ciencias y Letras*, Madrid, no. 222 (mayo, 1965), p. 11.

Leal, Luís. "La Literatura Mexicana en Siglo XX." in *Panorama das Literaturas das Américas, de 1900 a Actulidade* [Dir. Joaquim de Montezuma de Carvalho] Angola: Ed. do Município de Nova Lisboa, 1963. pp. 1998, 1999, 2005–2008.

Leiva, Raúl. "Hermetismo y Transparencia en la Poesía de José Gorostiza." *México en la Cultura* [suppl. of *Novedades*, México] no. 809 (20 septiembre, 1964), pp. 1, 3.

*Imagen de la Poesía Mexicana Contemporánea*. México: Centro de Estudios Literarios, Universidad Nacional Autónoma de México, 1959. pp. 77, 109–122.

Lerín, Manuel. "Una Inteligencia Poética." *El Nacional*, México (3 febrero, 1950).

Loera y Chávez, Agustín. "José Gorostiza Alcalá." *México Moderno*, México, I, no. 2 (septiembre, 1920), pp. 114–115.

Martín, María. "José Gorostiza Habla de *Muerte sin Fin*." *Diorama de la Cultura* [suppl. of *Excelsior*, México] (20 agosto, 1961).

Martínez, José Luís. *Literatura Mexicana Siglo XX, 1910–1949*. 2 v. México: Antigua Librería Robredo, 1949–50. (Clásicos y Modernos, nos. 3–4) v.I: pp. 15, 30, 33, 35, 82, 113, 156, 186, 187. v.II: p. 59.

"La Poesía Mexicana Contemporánea." *Revista de Guatemala*, I, no. 3 (enero-marzo, 1946), pp. 71–72.

Martínez Peñaloza, Porfirio. *Algunos Epígonos del Modernismo y Otras Notas. . .* México: Edición Camelina, 1966. pp. 201–213.

"La Poesía de José Gorostiza." *Cuadernos de Bellas Artes, Revista del INBA*, México, V, no. 12 (diciembre, 1964), pp. 17–25.

México. Secretaría de Educación Pública. *México en la Cultura; Prólogo por Jaime Torres Bodet*. México: Talleres Gráficos de la Nación, 1946. pp. 443, 446.

Montero, José Antonio. "José Gorostiza." *Ovaciones, Suplemento Dominical de Artes, Letras, Ciencias*, México, no. 145 (4 octubre, 1964), p. 7.

Monguío, Luís. "Poetas Postmodernistas Mexicanos." *Revista Hispánica Moderna, Boletín del Instituto de las Españas*, Columbia University, New York, XII, nos. 3–4 (julio-octubre, 1946), pp. 247–253.

Nandino, Elías. [review of *La Poesía de José Gorostiza* by Andrew P. Debicki] *Revista Interamericana de Bibliografía, Órgano Oficial del Comité Interamericano de Bibliografía*, Washington, D. C.: Unión Panamericana, XIV, no. 1 (enero-marzo, 1964), pp. 76–77.

Todos, no. 26) p. 101.

*Teoría Literaria del Modernismo. . .* México: Editorial Botas, 1949. p. 348.

Nicholson, Irene. *A Guide to Mexican Poetry; Ancient and Modern.* México, Minutiae Mexicana [c 1968] pp. 76, 82–85.

Ortiz Paniagua, Ernesto. "Poesía: Sobre *Muerte sin Fin* de José Gorostiza." *Revista de la Semana* [suppl. of *El Universal*, México] (27 julio, 1952), p. 15.

Pacheco, José Emilio. "Análisis Académico de un Gran Poema." [review of *Una Poética Moderna* by Mordecai S. Rubín] *Revista de la Universidad de México.* México: UNAM, XX, no. 12 (agosto, 1966), pp. 50–51.

"Gorostiza y la Paradoja de *Muerte sin Fin.*" *Diálogos*, México, no. 2 (enero-febrero, 1965), pp. 33–35.

Paz, Octavio. "Comentario al Poema," in: José Gorostiza. *Muerte sin Fin (Poesía)* [2nd. ed.] Comentario de Octavio Paz. México: Imprenta Universitaria, 1952. (Grandes Poemas de México, 3) pp. [55–63] Also printed as: "*Muerte sin Fin.*" *México en la Cultura* [suppl. of *Novedades*, México] no. 166 (20 abril, 1952), p. 3. Also in: Paz, Octavio. *Las Peras del Olmo.* México: Imprenta Universitaria, 1957. pp. 105–114.

*El Laberinto de la Soledad.* 2a. ed. rev. y aumentada. [México] Fondo de Cultura Económica [1959] (Vida y Pensamiento de México) pp. 56–57.

Also in English: *The Labyrinth of Solitude; Life and Thought in Mexico. . .* Translated by Lysander Kemp. New York: Grove Press, Inc. [© 1961] pp. 62–63.

"Todos Santos, Día de Muertos." Tr. by Lysander Kemp. *Evergreen Review*, New York II, no. 7 (winter, 1959), pp. 35–36.

Ponce, Manuel. "Dios y el Poeta." *Ábside*, México, XIX, no. 3 (julio-septiembre, 1955), pp. 330–331.

Poniatowska, Elena. "José Gorostiza." *México en la Cultura* [suppl. of *Novedades*, México] no. 384 (29 julio, 1956), p. 3.

Reyes, Alfonso. "Contestación al Anterior Discurso." ("Misión de la Academia; Notas sobre Poesía" por Don José Gorostiza —Discurso de Recepción como Miembro de Número de la Academia Mexicana de la Lengua, Pronunciado por el Autor el Día 22 de Marzo de 1955) *Memorias de la Academia Mexicana Correspondiente de la Española (Discursos Académicos).* v. XV. México: Editorial Jus, 1956. pp. 184–190.

Reyes Nevares, Salvador. "La Poesía de José Gorostiza." *Cuadernos de Bellas Artes; Revista del INBA*, México, IV, no. 8 (agosto, 1963), pp. 17–33.

"La Poesía de Gorostiza, Ese Juego de Espejos en Qué las Palabras se Reflejan hasta el Infinito." *La Cultura en México* [suppl. of *Siempre!*, México] no. 139 (14 octubre, 1964), p. XVI.

Rivas Sainz, Arturo. "Poesía de Filosofar." *El Hijo Pródigo, Revista Literaria*, México, I, no. 2 (mayo, 1943), pp. 80–84.

Rosaldo, Renato. "A Decade of Mexican Literature, 1950–1960. *Arizona Quarterly*, University of Arizona, Tucson, Arizona, 16, no. 4 (winter, 1960), pp. 319–331.

Rubín, Mordecai S. "Ecos de Valéry en Gorostiza." *Cuadernos Americanos, La Revista del Nuevo Mundo*, México, XXV, no. 2 (marzo-abril, 1966), pp. 205–217.

"Inspiraciones y Correspondencias." *Revista de la Universidad de México.* México: UNAM, v.XIX, no. 4 (diciembre, 1964), pp. 16–24.

*Una Poética Moderna; Muerte sin Fin de José Gorostiza; Análisis y Comentario.* Prólogo de Eugenio Florit. México: Universidad Nacional Autónoma de México, 1966. (Colección Poemas y Ensayos).

Sánchez, Luís Alberto. *Nueva Historia de la Literatura Americana.* Buenos Aires: Editorial Americalee, 1943. pp. 399–340.

Schneider, Luís Mario. "Los Primeros Poemas de José Gorostiza." *Hojas de Crítica*, 2 [suppl. of *Revista de la Universidad de México*, v. XXII, no. 11, julio, 1968] pp. [2–4].

Selva, Mauricio de la. "Asteriscos." [review of *Poesía* by José Gorostiza] *Diorama de la Cultura* [suppl. of *Excelsior*, México] (30 agosto, 1964), p. 4.

"Asteriscos," [review of *Una Poética Moderna. . .* by Mordecai S. Rubín] *Diorama de la Cultura. . .* (14 agosto, 1966), p. 5.

"Poetas de América: José Gorostiza." *Excelsior*, México (24 febrero, 1951).

Taracena, Alfonso. "Pasado y Presente." *El Universal*, México (19 diciembre, 1964).

Tiquet, José. "Charla de la Semana: Con el Poeta José Gorostiza." *Revista de la Semana* [suppl. of *El Universal*, México] (8 julio, 1956).

Torres Bodet, Jaime. *Tiempo de Arena.* [México] Fondo de Cultura Económica [1955] pp. 80–81, 184–185. Also published in his *Obras Escogidas.* [México] Fondo de Cultura Económica [1961] p. 233.

*Trébol de Cuarto Hojas: Elegía a Bernardo Ortiz de Montellano, Epístolas a Carlos Pellicer y José Gorostiza, Evocación de Xavier Villaurrutia.* [Paris] Edición del Autor [Imprenta Nacional] 1958. pp [23]–30. Also published as *Trébol de Cuatro Hojas.* Xalapa ,México: Universidad Veracruzana, 1960. (Ficción, no. 21) pp. [33]–43. Also published in his *Obras Escogidas.* pp. 182–184.

Torres Rioseco, Arturo. *La Poesía Lírica Mexicana.* Santiago de Chile: Imprenta Universitaria, 1933. pp. 35–36.

Universidad Nacional Autónoma de México. Centro de Estudios Literarios. *Diccionario de Escritores Mexicanos . . .* [México] U.N.A.M. Centro de Estudios Literarios [c 1967] pp. xxvii, 156–158. [Prepared under the direction of Aurora M. Ocampo and Ernesto Prado Velázquez, and containing an essay, "Panorama de la Literatura Mexicana," by María del Carmen Millán.]

Urbina, Luís G. "Libros de México bajo Arboles de Castilla: Cuatro Poetas. Comentarios Líricos." [review of *Canciones para Cantar en las Barcas* by José Gorostiza] *El Universal*, México (3 octubre, 1926), pp. 3, 4.

Vela, Arqueles. *Fundamentos de la Literatura Mexicana.* México: Editorial Patria, 1953. (Colección Cultura para

# death without end

Venegas, Roberto. "Poetas Mexicanos: José Gorostiza." *Diorama de la Cultura* [suppl. of *Excelsior,* México] (19 julio, 1964), p. 3.

Villaurrutia, Xavier. *Obras: Poesía, Teatro, Prosas Varias, Crítica.* Prólogo de Alí Chumacero. . . 2a. ed. aumentada [México] Fondo de Cultura Económica [1966] (Letras Mexicanas) pp. 680–683 [from his *Textos y Pretextos; Literatura–Drama–Pintura.* México, La Casa de España en México, 1940. pp. 78–83] pp. 770–772 [from his "Introducción a la Poesía Mexicana." *Universidad Michoacana,* Morelia, Michoacán, no. 27 (abril-Junio, 1951)] pp. 828, 834–835 [from his "La Poesía de los Jóvenes de México. . . Conferencia Leída en la Biblioteca Cervantes." México: Ediciones de la Revista Atenea, 1924. pp. 25–26]

Xirau, Ramón. "Poesía y Pueblo." *Revista de la Universidad de México,* XII, no. 2 (octubre, 1957), pp. 3, 9.

"Tres Calas en la Reflexión Poética" [Sor Juana, Gorostiza y Paz] *La Palabra y el Hombre, Revista de la Universidad Veracruzana,* Xalapa, Veracruz, México, no. 17 (enero-marzo, 1961), pp. 69–85.

*Tres Poetas de la Soledad (Villaurrutia, Gorostiza, Paz)* México: Antigua Librería Robredo, 1955. (Colección México y lo Mexicano, no. 19) pp. 13–20.

*Unsigned articles in newspapers and reviews:*

*Cuadernos de Bellas Artes, Revista del INBA,* México. V, no. 10 (octubre, 1964), pp. 81–82 [review of *Poesía* by José Gorostiza].

*Ed Día,* México. (I abril, 1964), p. 3. "El Nuevo Canciller, Uno de los Más Altos Poetas de México."

*La Gaceta del Fondo de Cultura Económica,* México, no. 11 (1er. trimestre, 1964) [review of *Poesía* by José Gorostiza].

*El Nacional,* México (31 marzo, 1964), pp. 1, 8. "Carrera de José Gorostiza, el Nuevo Secretario de Relaciones."

*Ovaciones, Suplemento Dominical de Artes, Letras, Ciencias,* México, no. 137 (9 agosto, 1964), pp. 1–5. "25 Años de *Muerte sin Fin.*"

*Tiempo, Revista Mexicana de Ciencias Sociales y Letras,* México, v. 42, no. 1084 (11 febrero, 1963), p. 48. "*La Poesía de José Gorostiza.*" [review of *La Poesía de José Gorostiza* by Andrew P. Debicki].

*Revista de la Semana* [suppl. of *El Universal,* México].
(4 octubre, 1964): "De *Canciones para Cantar en las Barcas* a *Muerte sin Fin.*"
(2 marzo, 1963): "Flaco Servicio a Gorostiza; Un Farol que Arroja Sombra."
(4 octubre, 1964): "Un Tomo con Todos los Versos de Gorostiza."

NOTE : For many of the entries of this bibliography I have relied heavily on: (1) the unpublished "Bibliografía Somera de D. José Gorostiza" by José de María González de Mendoza, (2) the bibliography in Andrew P. Debicki's *La Poesía de José Gorostiza,* (3) the bibliography published in the *Diccionario de Escritores Mexicanos* . . . (4) "Los Primeros Poemas de José Gorostiza" by Luís Mario Schneider in *Hojas de Crítica,* No. 2 (suppl. of *Revista de la Universidad de México,* vol. XXII, no. 11, julio de 1968.) and (5) the bibliography in Mordecai S. Rubín's *Una Poética Moderna* . . .

# muerte sin fin  death without end

*2000 copias de* MUERTE SIN FIN
*han sido imprimidas en Caledonia con Unciala titulos*
*y encuadernadas por The Printing Division of*
*The University of Texas at Austin*
*Diseño por Kim Taylor*
*Enero de 1969*

*2000 copies of* DEATH WITHOUT END
*have been printed in Caledonia with Unciala headings*
*and bound by The Printing Division of*
*The University of Texas at Austin*
*Design by Kim Taylor*
*January 1969*

*2000 copias de* MUERTE SIN FIN
*han sido imprimidas en Caledonia con Unciala titulos*
*y encuadernadas por The Printing Division of*
*The University of Texas at Austin*
*Diseño por Kim Taylor*
*Enero de 1969*

*2000 copies of* DEATH WITHOUT END
*have been printed in Caledonia with Unciala headings*
*and bound by The Printing Division of*
*The University of Texas at Austin*
*Design by Kim Taylor*
*January 1969*

muerte sin fin death without end

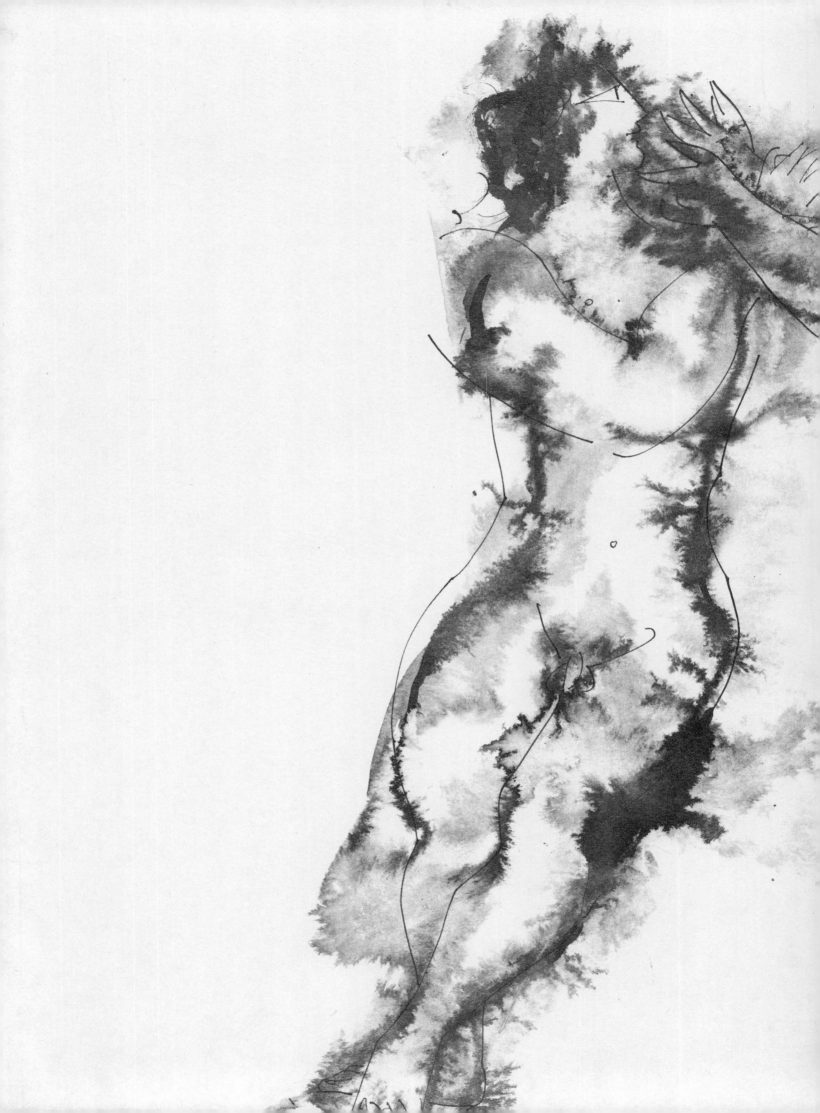